曽野綾子

人間の分際《ぶんざい》

GS
幻冬舎新書
383

まえがき

誰でもそうなのだろうが、私も昔から、世間と自分との間に幾つかの深い溝があるのを感じて生きてきた。

当然のことだ。親たちは良識や常識に従って、我が子が世間に害毒を流さないことを望む。そして私をも含めて大方の子供たちが親たちを失望させず、交番のお巡りさんに捕まりもせずに生きていくことを納得する。

しかし厳密に考えると、親たちの期待を裏切らないことも時には大変だ。学校の先生の望むことも、必ずしも受け入れられない。

希望の押し売りもその一つだ。

私がスポーツ世界の空気に馴染めないのは、努力すれば必ず報いられる、などという美談を押しつけるからだ。私の八十余年の体験だけでも、努力してもダメなことは多い。

本文の中でも触れているが、一九六四年の東京オリンピックの時、女子バレーを率いて金メダルを取らせた大松監督が、「為《な》せば成《な》る」と言ったことが、世間に大ヒットした。それこそあらゆる人がその言葉をもてはやした。文学者たちまでが、その言葉を素直に賛嘆《さんたん》したのだ。

しかし「私は騙《だま》されないぞ」と思った。「為せば成る」なら、どうして多くの日本人が命を賭けて戦ったあの大東亜戦争に負けたのか。私自身も十三歳で、当時の軍需産業と呼ばれる工場で働いた。多くの家庭が、何より大切な我が子の命を差し出した。それでも日本は勝たなかった。

私は昔からひどい近視だから、球技はすべて不得意だ。それを精神力で補え、と言われても、決して私はその道で一流にはならないだろう。しかし昔から好きで、文章を書くことが心理的に重荷ではなかったから、作家としてならやっていけるだろうと思った。それは「為せば成る」とは正反対の道の歩き方だった。そうした当たり前のことをするのを、人間の分際《ぶんざい》というのである。分際とは「身の程《ほど》」ということだ。財産でも才能でも、自分に与えられた量や質の限度を知りなさいということなのだ。

多くの場合、子供の才能の限度を知っているのは親だが、親であるがゆえに、却《かえ》ってそれがわからないという不幸なケースもないではない。例えば親が音楽好きで、しかも素人とは思えないほどの才能もあったために、その人は自分の子供には早くから英才教育を施《ほどこ》し、世界に通用するピアニストやヴァイオリニストにしようなどと思う例である。あるいは、自分には生まれのよさや家代々で受け継いだ財産などがないことを知っている家庭が、何とかしてその点で社会の上層部に「這《は》い上がりたい」と望む時に、無理が出る。

ほとんどすべてのことに、人には努力でなしうる限度がある。青年は「大志を抱く」のもいいが、「抱かない」のも賢さなのだ。

私は最近「身の丈に合った暮らし方」がますます好きになった。それも年を取ったおかげである。自分がどういう暮らしをしたら幸福かが、実感としてわかるようになったからだろう。

私もこざっぱりした服を着たり、少し趣味のいい小物を身近におきたいとは思う。しかし多くは要らない。私はいわゆるものもちがいいので、気に入ったものを磨いたり修理したりして長く使い、その結果、ものが増える傾向にある。すると必要な時に、適切なものが取り出せない。

蛇でもタヌキでも、恐らくねぐらの穴の寸法は、自分の体に合ったものがいいのだろう。大きすぎても小さすぎても、不安や不便を感じる。この「身の丈に合った暮らし方」をするということが、実は最大のぜいたくで、それを私たちは分際というのであり、それを知るにはやはりいささかの才能が要る。分際以上でも以下でも、人間はほんとうには幸福になれないのだ。

最近、地方で、大工の名人が建てたという二畳の茶室を見た。二畳で暮らすというと私はすぐ『方丈記《ほうじようき》』を思い出す。鴨長明《かものちようめい》は鎌倉時代の歌人で、方丈＝約三メートル四方の庵《いおり》を作ってそこに住み『方丈記』を書いた。初めてこの本を読んで以来、方丈の暮らしは私の一つの理想になった。もちろん私は、方丈には住めないことはわかっていても、である。三メートル四方は、布団を敷いて寝るだけで机一つおけない。夫は最近入院して、一つの感慨を漏らしたが、それは「僕は活字人間だから、本がない病院には長くはいられない」であった。そのおかげで早く退院できたのだと思うが、私にも方丈の暮らしはやはり狭すぎて到底幸福に暮らせない。

しかし茶道具一つない二畳の茶室を見て驚いた。けっこう広く感じるのである。それより少しだけ広い方丈は余計なものがなければ、人間が雨露をしのいで生きるのに、十分な広い空間なのだ。手足を伸ばして寝ることだってできる。

分際を心得て暮らせば、それはその人にとって最高の生涯の一つの形なのだ。こんな簡単な原理さえ見極められずに、「人並み」や「流行」を追い求めて死ぬ愚か者は、多分世間に私一人ではないのである。

二〇一五年初夏

曽野綾子

人間の分際／目次

第二章　人生のほんとうの意味は苦しみの中にある　45

第三章 人間関係の基本はぎくしゃくしたものである

第四章　大事なのは「見捨てない」ということ　111

第六章 一度きりの人生をおもしろく生きる 175

第七章　老年ほど勇気を必要とする時はない　209

構成　木村博美

第一章

人間には「分際」がある

人間には変えられない運命がある

私たちは、それぞれに望むことはしますし、望むことについて努力もすると思うのですけれども、しかし、本当の運命を変える力はないでしょう。「分際」という言葉があります。人間の努力が加わらないわけではない。しかし、自分の運命をすべて左右できるということでもない。それが、分けるという字と際という字を書いた「分際」という言葉の意味です。

『現代に生きる聖書』

私は、かねがね、人生は努力半分、運半分と思っています。体験から言えば、努力が七十五パーセントで、運が二十五パーセントくらいの感じですが、人生は、運と自分のささやかな生き方の方向付けというものの相乗作用のような気がします。

『思い通りにいかないから人生は面白い』

生涯の勝ち負けは死ぬまでわからない

かつて一九六四年の東京オリンピックの時、マスコミが熱狂的にもちあげた「為せば成る」という精神がいかに不愉快なものだったかを私は改めて思い出した。あの悲惨な大東亜戦争が終わって二十年も経っていないのに、あの年全マスコミは、金メダルを取った女子バレーボールの大松監督の「為せば成る」という言葉をいっせいに褒めそやしたのだ。それに反対の姿勢を示した私のエッセイは、作家によって書かれたオリンピック文集の中に、多分一人だけ載せられなかったのである。もちろんそんなことは大したことではない。しかし人間社会で「為せば成る」が通るなら、それは戦争中に命を懸けて闘った日本人すべてを否定するものだ。そんな非礼はない。（中略）

人間の世界には、どんなになそうとしてもなし得ないことがある。その悲しみを知るのが人間の分際であり、賢さだろう。しかし金メダルを取れば、思い上がりも平気で看過されるとしたら、それは美しくもなく真実でもない。

人間の生涯の勝ち負けは、そんなに単純なものではないのだ。私たちが体験する人生は、何が勝ちで、何が負けなのか、その時はわからないことだらけだ。数年、数十年が経ってみて、やっとその答えが出るものが多い。その原則を無視するスポーツに、私は基本的にあまり魅力を感じないのである。

柔道の谷亮子《たにりょうこ》選手にとって北京オリンピックでの銅メダルは「残念なもの」だったらしいが、私から見たら大したものだ。何しろ世界で三番目なのである。私たちはどう頑張っても、世界で三番目にランクされる技術を持つことなどできないのである。

しかし谷選手のこれまでの生活が、それほど偉いとは、私は思わない。母親としての暮らしと厳しい選手としての生活とを同時にやってのけたことは、確かに意志の弱い人にはできないが、その程度の辛い生活に耐えた人は世間にいくらでもいる。谷選手には、その厳しさに華々しく報いられる場があった。しかし年老いてぼけた自分の父母を、何十年も介護し続け、ほとんど自分の人生を犠牲にしながら、誰からも注目もされず、もちろんメダルももらわなかった人の方が、私はずっと偉人だと思うのである。

『安心したがる人々』

そもそも人間は弱くて残酷で利己的である

世間には、「悪い人をなぜ弁護するのか」という裁判制度自体を否定するような空気まであって、それに対する新聞の答えは、「悪い人」と決まってから裁くべきだというのだが、記事を前につらつら自分の心を振り返ってみると、私はどうも別の心情から「悪いと言われている人」でも弁護したくなっていたようだ。

それは私たちが皆基本的には悪い人の要素を十分に持っていて、人は誰でも自分を弁護してほしいと思っているからである。

いやこういうと怒る人がいるだろうから、話を限定しよう。少なくとも私は、できればちょっとウソをついて難関を逃れたい。道に一万円札が落ちていたら、警察に届けずに着服したい。小料理屋で、私の次にアンキモを頼んだ人に板前さんが、「申しわけありません。たった今最後のが出てしまいまして」と言い訳しているのが聞こえた時の私の幸福は倍の大きさになる。「私の分をお譲りしましょう」とは絶対に言わない。

飛行機事故で死亡した人と生還した人と明暗を分けたような場合、生きる幸運を摑《つか》んだ人とその家族は幸福に満たされる。死亡した人の家族の悲嘆を知りながら、生きた自分の幸運を喜ぶのである。

人間とはこんな程度に残酷で利己的だということを、私は骨身にしみて知りながら生きて来た。

『哀しさ優しさ香しさ』

人間は強いものではなく、基本的には弱いものだということは、まだ子供の時から私の心に染《し》みついているが、それは私がたくさん小説を読んだおかげだろうと思う。

文学は、時たま人間の偉大さも描くが、多くの場合、人間の弱さから来る哀《かな》しさや誘惑を書くのを目的としている。

そして私たちは、人間の偉大さを示す話からも学ぶが、当然弱さから来る哀しさからも、強烈に人生を学ぶのである。そう思うと、誘惑に負ける人間の姿もなかなか貴重だと言いたくなる。

裏表のある人こそ人間らしい

私は、子供にも、際限なく深く裏表のある人間になって欲しいと思うのである。裏表のない人間という言葉は、本来は宗教に起因した美学から出たものである。誰にも見られなくとも、神を常に意識し、神に向かって、強烈に自分自身を晒《さら》し続けて生きることだけが、本当に裏表のない人間ということである。心と言葉、心と行為とがまったく同じ単純人間など美しくもなければ、偉大でもない。（中略）

『幸せの才能』

裏表を意識し、その実態を知る時、子供たちは改めて人間の哀しさと優しさを知るであろう。その長い迷いの後に、明確な裏表の何を意味するかを知りつつ、それに従う時、彼は初めて精神を持った「人間」になる。

『あとは野となれ』

一人住まいの隣家のおばあさんを、こんな寒い雪の日は見舞うべきだ、と思っても、あまり寒いと体がさぼることを要求して、「別に向こうも当てにしてるわけじゃないんだから、明日にしたっていいんじゃないだろうか」と思うことはよくあるし、万引が癖になっているような人でも、「その度に今度からもうしない、と自分の心に誓うのですが」というような言い方をする。つまり意志の主体である自己と、行動の主体である自己とが分裂しているということが明らかなのである。人間の本来の姿というものは、別に万引常習犯でなくても、正《まさ》に分裂に苦しむものなのである。（中略）

しかし今の日本人はこのような分裂を、あまり深く悩んでもいなければその価値を承認してもいない。人間はもともと善良なもので、社会の貧困や政治の横暴に苦しめられなければ、「ちゃんとした」行動をとるものだと、決めてかかっている。しかし私は、人間はそのままほっておけば、決してみごとなものではないのだ、と思っている。つまり私たちは限りなく普通の人なのである。誰よりも、自分と自分の家族が大切で、損をするのはいやで、どこかに得なことはないかといつもハイエナのようにうろうろしており、火事や地震に遭えば人を突きとばしても我がちに逃げ出す存在なのである。

卑怯でない者はいない

『心に迫るパウロの言葉』

東京の私の家では三坪か四坪くらいの畑で、ホウレンソウ、春菊、京菜、小松菜、チンゲンサイ、サニーレタスを秋から翌年の夏の直前まで賄《まかな》っている。これらは、冬ならば虫もつかず、硬くもならず、素人でも扱いが楽でしかも味がいいのである。

しかしこの青菜たちに関して私の友人が言った言葉は忘れがたい。

「ソノさんは、種の箱に零《こぼ》れた種を、何でもいいからいっしょに蒔《ま》いてしまうって言ってたけど、大したものね」

私は自分が褒められたのだと思って、謙虚な返答をすることにした。

「どうして？」

「だってそれだけごっちゃに生えても、春菊は春菊、チンゲンサイはチンゲンサイ、小松菜は小松菜になるんでしょう。私たちだったらつい、思想的に妥協して、小松菜でも、春菊みたいになるんじゃないかしら」

この観察はみごとである。植物はどんなに混植されても、決して己を失わない。人間よりはるかに卑怯ではない。

『緑の指』

私たちは、誰も彼も、皆卑怯なのだ。その点ではおもしろいくらい同じだ、ということをはっきりと認識しておくべきだと私は思っている。しかしそれでもなお、常に正義のために死ぬ人はいた。今の世にもいないとは思わない。自分が卑怯者の列に入るか、誰が勇者なのか、それは、その時まで秘密である。そして私は、卑怯でも我々は許されるのだろう、と思っている。ただし、自分の卑怯さを自覚し、頭を垂れ、死んでいってくれた勇者に向かって、自分はあなたの足許《あしもと》にも及びませんでした、と涙する時だけ、私たち卑怯者も辛《かろ》うじて動物ではなく、人間の末席に加えられることが許されるかもしれないということである。

『ほんとうの話』

人には持って生まれた器がある

「私は王と違って、いつも優柔不断でございます。判断がなかなかつきません」

「そういう時にはどうするのだ」

「私は自分をあまり信用しておりませんゆえ、迷うことが必要なのだな、迷えてよかった、と思うことにしております」

「それは決断力のない男の自己弁護というものだ」

「仰せの通りでございます」

アヒアブは心から嬉しそうに笑った。

「しかしもし私が、王ほどの自信を持ちましたら、また大いに迷惑なことでございます。自信は政治を大きく間違わせます。小人《しょうじん》はあれこれと愚かしく迷うことが大切なのでございます」

「それはそうかもしれない」

「人には、それぞれ持って生まれた器というものがございます。それはどうにも致し方ございません。土のうちならば、まだ作る壺の大きさは変えられます。しかし焼き上がった壺はもう大きさをどうすることもできません。壺は小さくば小さいなりに使い道がございます。それなのに、無理に大きくしようとしたりすれば、壺は割れる外はございません」

「運命だな」

「さようでございます」

「運命だと思えば気楽だな」

「さようでございます」

『狂王ヘロデ』

深く悩まないでいられるコツ

この運というものが、実は神の意志だと思うことが私には多くなって来たのである。

失敗した、運が悪かった、とその時は思っても、失敗には意味も教訓も深くこめられていたことが後になってわかることが多い。

その過程を意識して、人生の流れの半分に作用する自助努力はフルに使い、自分の力の及ばない半分の運、つまり神の意志にも耳を傾けて、結果的には深く悩まないことが私の楽観主義だと思うようになって来た。

神さまに、半分の責任を押しつけて、それを教訓と思えれば、それもまた楽しいことなのである。


『幸せの才能』


神はいないと言う人が多いけれど、神なしで生きられるなら、それでいい。しかし私は、神という概念がないと、人間という分際を逸脱する気がします。

信仰を持つと、価値判断が一方的になりません。世の中には、神も社会もいいと言うものがある。一方で、世間は褒めそやすけれど、神は「そんなことはよくない」と思われるようなこともある。社会がよくないと言ったり悪だと糾弾したりしても、神は「それは正しい」と言うものもある。もちろん、神も社会も「よくない」と言うこともある。神が存在していることによって、物事をもっと複眼で見ることができるようになるのです。

私たちは始終誤解されます。誤解されるようないい加減なこともやっているわけですが、人の評価と自分の思いは絶えず違う。でも、神があれば、誤解されっ放しでもいい。神だけが、私が何をしたか、ほんとうのことを知っている。いちばん怖いのは世間でなく、自分の内心とほんとうのことを知っていらっしゃる「その方」だけなんです。


『老いの才覚』

人間は皆、中途半端

人間は徹底して皆同じようなものである。むしろ、或《あ》る人に関して、百パーセントいい人だと信じたり、鬼のような悪い人だから避けなければならないと思ったりする時、必ずそこには拡大された不正確な先入観が入りこんでいると見ていい。

人間は皆、中途半端なのである。その曖昧《あいまい》さに、私たちは耐えねばならない。いい人かと思っていると、卑怯な面が見え、悪い人かと思っていると、思いがけない優しさが覗く時もある。

『悲しくて明るい場所』

考えてみると人間世界は大体よさも悪さも半分半分だ。私は作家としてそれを伝え、一人の人間としてはその曖昧さをいとおしむことにして来た。半分の悪や半分の狡《ずる》さを残すことを少しも非難する気はなかった。なぜなら、自分が半分狡いと認めている人は、必ず半分の狡くない部分を残している。半分悪いと自覚している人は、必ず半分の輝いた部分を持っている。自分は全部いいという人は、多分全部嘘なのである。

『それぞれの山頂物語』

人生には祈るしかない時もある

「祈るほかはないのね」

茜《あかね》はその言葉に反感を覚えそうになるのをようやく抑えた。「お祈りします」という言葉を、自分たちは安易に使いすぎて来たような気もした。しかし、それほどに、人間が無力であるということもまた本当なのであった。

『時の止まった赤ん坊』

「やればできる」というのは、とんでもない思い上がり

信仰というものは、神と人間との関係、何より「人間の分際」を見極めるものだから、無理が来ないということなのである。すべての人には、努力によってその人の可能性の分野を広げることができる部分も確かにあるが、その程度は限られている。「為せば成る」などというのはひどい思い上がりである。

しかし限度は少しも惨《みじ》めなことではない。その人が何をして生涯を生きるかには、その人が望む部分と、神によって命じられる部分とがある。その接点で生きるのが、一番いい生き方なのだ。そういう考え方だから、怠けるわけではないが、生き方に無理をし

なくなるのである。

伸び伸びと無理をせず、自分の人生をできるだけ軽く考えることに馴れれば、血圧も下がるであろう。何より、かっとしたり、恨みを持ったりしないと、淡々と人生が遠くまでよく見えて来て楽しくなる。悲しいことがあっても楽しくなれるのである。納得は感謝につながることも多いし、人生の明るい側面を見ることができる人も増えて来る。

人間の評価にも限界があることを信仰は教える。人がいいという学歴や職場が、実はその人にとって特にいいわけではない、ということなどすぐわかる。

『それぞれの山頂物語』

自《おの》ずから人間には、人間としての立場、限度がある、ということです。人間は神と同等のことができるように思ったりしたりする時に、無理が出たり、醜《みにく》くなったりします。この限度を知ると、逆に気が楽になります。今はやりのストレスなどは、かなり解消するのではないでしょうか。

『聖書の中の友情論』

他者の心の中を裁くことは、人間の分際を超えている

このごろ、人間が人間の分際や機能を逸脱してきたと思うことが多い。

毎年、必ず起きるのが靖国問題で、閣僚が靖国神社に参るのが、過去の戦争を認めていることになるという近隣諸国の主張があり、今年はアメリカの議会調査局まで、そのような考え方の肩を持つようになったらしい。

私は何度か、この欄にも書いているが、私たちが靖国に参るのは、戦争によって再びああいう悲惨な若者たちの死を見たくないからである。私も毎年8月15日に靖国神社に参拝するが、それは日本人全体が、現実問題として戦後どこの国とも戦わず、思想の弾圧も統制もせず、汚職政治家もごく稀《まれ》という状態でやってこられました。この状態を続けていきたいと願っております、と亡き人たちに報告しに行くのである。

こういう精神の問題にまで立ち入るのがおかしいのは、人間が他者の心の中を個人的に推測し裁くことになるからだ。

総理といえども一人の人間だ。安倍総理がどのような思いで靖国に参るかを推測して、それを妨害するというのは、思想の自由、個人の尊厳を侵す暴力だ。しかも総理は日本の公正で自由な総選挙によって、国民の総意を得て総理になった。総選挙もなく、党の実力者が政治権力を握るという「現代の帝国主義」的国家の特権階級から出たのではない。

総理が自分で玉串料《たまぐしりょう》を払い、内閣総理大臣と署名せずに安倍晋三とだけお書きになったら、その心のうちを誰が取り締まるのだ。考えるだけで滑稽なことだ。

人の心の内面を知り、それを裁くのは神だけだ、と聖書は書いている。靖国に祭られている戦死者の中で、誰がほんとうの罪人かそうでないかを知るのは神だけなのである。それを人間が分類できる、とするのは途方もない思い上がりというものだろう。

アメリカ人は5人のうち4人が、韓国人は約3人に1人がキリスト教徒だと言われているらしい。その人たちが、戦争による死者の中の罪人を分類し、裁き続けるのだという。

今さらでもないが、信仰というものがこの世からますます遠ざかり、人間の自信は日々強大になり、かつての時代のように、人間が自分たちもまたたやすく間違いを犯す存在かもしれないという虞《おそれ》や謙虚さを失ってきた。それも時代の成り行きかもしれないが、私は日本人が国を挙げてこうした思い上がりを犯すようにはなりたくないものだと思う。

『産經新聞』コラム「透明な歳月の光」2013年8月7日

人知を超えた宇宙のからくり

覚えてますか？　ずっと前に、おじさんとおばさんが仲人をして結婚させた高村優子《たかむらゆうこ》さんという人のことを話したことがあったでしょう？

上に夢子《ゆめこ》ちゃんという娘がいて、その子が六歳になった時、また思いがけず妊娠した。ところが妊娠の初期に風疹にかかったので、眼に障害のある子供が生まれる可能性が高いから、中絶するように勧められたということを、言いに来たことがあった。その後、どうしたかって言えば、全く無事に生まれてきてくれたことは、このうちでは医学もあてにならないということがわかって、嬉しくてたまらない話だったんだけど、驚いたことに優子さんが或る日、三つくらいの男の子を連れてこのうちにやって来たんです。

そのがっしりした男の子が、医者に中絶を勧められた子なんですって。その医者にこの子を見せたら、ちょっとたじろぐんじゃないの？　それこそお話にあるじゃないの。「私があなたに殺された者です」って青い顔をした男が、殺人犯の前に出て来る怪奇小説か映画の場面みたいでしょう。

でもその子が、怪奇映画どころか、きわめて存在感のあるたくましい子供に育っていたのにはほんとうにたまげたわ。何しろ悪戯《いたずら》っ子なんですよ。私を見るとすぐ私を追いかけるのには呆《あき》れたわね。そして私のどこを捕まえようとしたと思う？　私の短い尻尾よ。どうやらそれが取っ手だと思ったらしいわ。私は、こういう子供を驚かせるためにちょっと噛みついてやりましたけどね。それでも放さないの。悔しいけど、ガッツがある子に育ってた。この子、ずっと猫にはハンドルがついてると思って育つんですよ。ああ、やだ、やだ。

こういう子は、何をやらせても、専門家になると思うわ。社会の宝ですよ。そういう子を一人の医者が簡単に葬り去ることもできたのね。

ほんとうに人間も猫も、実はこの宇宙のからくりを何もわかっちゃいないんですよ。

今ほど、私は人間の分際・猫の分際を考えたことはないわ。今は人間の存在を文句なく尊いなんて言うから、ますますこの限度がわからなくなっちゃう。それと同時に猫の命もけっこう上がってきて、こないだなんか愛猫を轢《ひ》き殺された人が、三百五十万円の慰謝料取ったそうよ。愛犬家・愛猫家もたくさんいて、三味線の皮に猫の皮を使うのはよそうなんて運動も起こしてる。楽しみの狩猟で動物を殺すのには胸が痛くなるけど、三味線のばちは象牙、皮は猫、と昔から決まっていた、その潔い運命はどこへ行ったのかしら。

『飼猫ボタ子の生活と意見』

寿命を延ばすことは正しい行為か

私の母は多分お針子にもなれたほど針仕事がうまい明治女で、始終縫いものをしていた。「継ぎ当て」などという、今の日本人は聞いたこともないような仕事が、当時の日本人の生活でごく普通だった。シャツやズボンに開いた穴やかぎ裂きはもちろん補修した。私は転んで紺サージの制服のスカートを大きく破いたが、母はそれも継いでくれたので、私はずっとそのスカートを履《は》いていた。（中略）

私の母はやや浪費的性格だったので、戦争中のある日、私に言ったことがある。

「古いものを直して直して使うのはいいんだけど、それをやっていると、どこかに無理ができて、必ずそのそばの古いところがまた破れてくるの」

だから母は、とことん修理はしないで捨てる、と娘の私に言いたかったのだろう。

人間の臓器も多分そうだろう。病変を起こした臓器は新しく取り換えられても、他の臓器が古いままだと、多分その継ぎ目や周辺からほころびが出るのは避けられない。

寿命という言葉は、ギリシャ語で「ヘリキア」と言い、驚くことに「寿命」という意味だけではなく、「その職業に適した年齢」「背丈」という意味も持つ。それらのものも、最近の人は医学で動かすことができそうな気配になってきた。

現代人はギリシャ人のヘリキアの概念を圧倒するのか、その元の意味にやはり呑《の》まれるのか。そしてどちらが幸福なのか、大きなドラマだ。

『産經新聞』コラム「透明な歳月の光」２０１２年10月24日

無理がすぎるとおかしくなる

「それは確かにあるんです。そういう弊害《へいがい》に対する一つの答えとして神父さんの方じゃ、何とか言ったでしょう、ほら、予定、じゃない、調節でもない……何か神の計画したもの、みたいな意味のある言葉があったように思うけどな」

「摂理《せつり》、ですか」

「そうそう、それです。人間は普通には、めったに四つ子や五つ子で生まれて来ないようになってるんです。それが人工的な処置によって多胎妊娠が起こり易《やす》くなる。すると、必然的に体重が少ない早産児が多くなるから眼の機能も完全でない状態で生まれて来ることがある……」

「しかし、子供がほしい、という親の気持ちもわかりますしね」

「そこなんですよ、神父さん。僕もこう見えても秀才なもんですからね、どっちの気持ちもわかるんです」

貞春《さだはる》は笑った。

「しかし一つだけ言いたいのは、完全を望まないでほしい、ということですな。無理すれば、どこかに無理が逃げて行く道理でしょう。人間が望むのはいい。どれだけ望んでもいい。人間はもともと強欲なものですからね。科学の進歩がいけないというのでもない。ただ、不思議とそれをやり過ぎると、どこかに無理が出る。早く生まれて、しかも生かされてしまった子には、必ずそれだけ無理がある。医者は人間の弱点を《補強》するのに全力をあげるけれど、それでも《先天的》にどうにもならない部分がある。

神父さん、ここだから言えるんですけどね、今日本人には《先天的》という発想を許さない思想暴力があるでしょう。人間は平等だから、《先天的》に運命が違うなんてことは、人道上あり得ないと言う連中がいる。そして《先天的》に劣った能力というものだってあるんだよ、とでも言おうものなら、また、さっきの伝でやっつけられちゃうから、皆、黙っている。

神父さん、僕は今の日本には言論の自由があるなんて嘘だと思いますね。至るところに本当のことを言えないという暴力があるよ。筧《かけい》さんの家でしか心を許してこういう話できないなんて、実におかしいことでしょう」

『神の汚れた手』

人間の視点だけでこの世は見通せない

私は決して誰もが信仰を持つべきだ、などと言うつもりはない。しかし人間の視点だけで、人間の世界が見通せるとはどうしても思えないのである。私たちは地形を総合的に把握しようとする時、自分の身長だけでは足りず、必ず高みに登る。それと同じで、信仰の見地から、神の視点というものがあってこそ、初めて私たちは人間世界の全体像を理解できるような気がしてならない。

『二十一世紀への手紙』

人は皆、自分の分際で生きます。それ以上にも、それ以下にもなれません。

『現代に生きる聖書』

第二章

人生のほんとうの意味は苦しみの中にある

不幸のない家庭はない

どこのうちにも不幸はあり、誰も重荷をしょっている。それのない人などない。だから、家が大きいとか、その家の主人が社会的に大活躍をしているとか、有名な芸術家だからとかいうことで、そういう家には問題がないようなことを言う人がいると、私は違和感を感じてしまう。

『悲しくて明るい場所』

人生は能力ではなく、気力で決まる

私たちの知り合いに、学生時代の事故で車椅子の生活をするようになった人がいる。その人は、体に障害があるという与えられた運命を生かして、障害者用の家庭用品を作る会社を建てた。

一方で体はどこも悪くなくても、怠け者だったり博奕《ばくち》好きだったりして、生涯貯金一つできなかった人もいる。人の生き方は外見や能力とはあまり関係ない。運命を受け入れ、そこからそれぞれの道を歩き出す気力があるかないかの違いなのだ。

『国家の徳』

私は家庭内暴力の中で育った。家庭は穏やかな方がいいに決まっている。しかし私は穏やかでない家庭に生まれてしまったのだから仕方がない。私は運命を積極的に使うことにする他はなかった。子供ながら、私はいつもあれこれと心を痛め続けて暗い毎日を生きてきたので、人生そのものは、悲惨と暗さが原型なのだと思い込んだ。

しかしそんなふうに底まで落ちてしまえば、ありがたいことに、一条の光にも似た現実の明るい面を見つけることもうまくなるのである。社会の仕組みはこれまでも年々是正されていると感謝できる。子供の頃、既《すで》に苦労人になってしまった私の、これが報われた姿だったのである。

『安心したがる人々』

うまくいかない時は「別の道を行く運命だ」と考える

たとえば、入社試験を受けて、「彼は入ったのに、私は落ちた」みたいな話がよくあるでしょう。私は自分がもし落ちていれば、必ず、落ちたほうがよかったんだ、と思うたちです。

この前、第一志望の会社に就職できなかったという人に会った時、「その会社にはすごく嫌な奴がいて、入らなかったほうがよかったのよ」と言いました。「自分の良さをわかってくれない会社なんか入らなくてよかった」でもいいのですが、私がその会社に入っていたら将来、何か自分に悪いことがあるだろうという気がする。そして、受かった第二志望の会社に、自分がやるべき任務があったんだ、と受け取るのです。（中略）

楽観主義者だと言われればそうですが、私はうまくいかない時はいつも神さまから「お前は別の道を行きなさい」という指示があったと思うんですね。だから運が悪い場合はそこでぐずぐず悩むのではなくて、運命をやんわり受け入れられる心理でいたい。そして、次の運命に協力的になる。自分で望んだわけではないけれど、それによって神さまは私に何をご期待ですか？　と考えるわけですね。そうすると、たいてい運命が開けてくるものです。

事実、最善ではなく次善で、うまくいった人はたくさんいます。

「ほんとうは三井物産か三菱商事に行きたかったけれど、競争が激しくて、入れんかった。それで地方の小さな会社に入社したら、大学を出ている社員も少ないし、あんまり頭の切れる同僚もいなくて、気がついたら社長になっとったわ」

というような人は、実に多い。

「オレは、こんな会社じゃなくて、もっと一流の会社に行きたかったんだ」と嘆くのではなく、「拾っていただいてありがとうございました」という謙虚な気持ちで、一所懸命にそこで働く。そうすると、結構うまくいくことが多いですね。

『思い通りにいかないから人生は面白い』

何といっても、人にはすべて運命というのがあるんです。それは猫も同じね。その運命には変えることができない部分がある。またむりやり変えてみたところで、らしくないことは不自然だし、美しくない。しかしもし人がそれを甘受して、その運命をむしろ土壌にして自分を伸ばそうとする時、多くの人は運命を超えて偉大になる、とおばさんは言うの。それは庶民でも皇室でも変わらない原則だ、って。

感心しなくったっていいのよ。猫はもうとっくにそういう生活やってるんだから。

『飼猫ボタ子の生活と意見』

逆境のない人生はない

私が知る限りでも、人生には、いつも取り戻せないほどの大きな運命の変転があった。その度に、私たちの親たち世代も、私たちの世代も泣き続けて来た。親たちは夫や子供を失い、おおよそ私くらいの世代は、自分が死んだり、恋人を失ったりして来た。だからそういう無残なことがないような社会を作ることにはいくらでも働くが、「生活を元に戻してくれ」などと「世迷いごと」を言ってはいけない。そんな甘さが通用することは、この地球上のどこにもない。

人間は常にどこかで最悪のことが起こるかもしれないという覚悟をしておくべきだ。もちろんそれは避けたいことだが……覚悟は個人の領域だ。それを国家に補償せよとか、肩代わりせよとか言ってもできないことが多い。不幸もまた一面では個人の魂の領域であり、それを国家に売り渡してはならないからである。

『想定外の老年』

今、日本人はもっと鍛えねばならない。心身共に逆境に耐えて生き抜く力を養い、もっと人を見抜く勉強をしなくてはならない。そして自分の思考形態の違う相手をも受け入れ、妥協点を見いだして、犠牲の少ない生活を共有する知恵が要る。

日本のマスコミも政府の悪口を言うのが好きだが、それではそんな政府に頼らずに自分のことは自分で守る人間になれ、とは社会に言わない。（中略）

生き抜くという力は、電気が消え、暖房や冷房がなくなり、水道の供給も止まるといった状況の中でも、どうしたら人間が、冷静さ、思考の停止、弱い者を助けるという人間性などを失わないでいられるかということだ。

それには学校も社会も、若者や老人を甘やかさず、自分でできる範囲の責任は果たすという姿勢を鍛え続けて、国家と社会を強力なものにしなければならない。

見事な天気予報のある日本で、台風や豪雨のたびに、安全な建物に避難する人々に、なぜ無料で給食を配らなければならないのか。

昔から私の母たちの世代は避難する場合、まずご飯を炊いて大きな梅干し入りのにぎり飯を作り、それを携え、毛布の1枚も背負って逃げたものだ。毛布がなければ一夜でも二夜でも、寒さに震えて寝たものだ。それでもたいていの人間は死なない。にぎり飯も作れない老人のためには、必ずもう1つ余分のにぎり飯を作って持っていく人もいるからなのである。

『産經新聞』コラム「正論」2015年1月1日

不幸は自分の財産になる

「いいお仕事だわ。カメラマンや記者って、本来なら命がけでしょう」

「原《はら》の奴が、報道に命を賭けるかどうかはわかりませんよ。少なくとも、僕はそう教えなかったから」

「どうして或る人は、自分の仕事に命を賭けるし、別の人は適当なとこで逃げ出すと思います？」

「命を賭ける人の半分はぶきっちょ。つまり他にすることがないと知ってるから。後の半分の人の、エネルギーは、私怨」

「しえん？」

「私の怨み。たとえば自分が母親に捨てられたと思い込んでいる人は、母と子のポートレートを専門に撮るようになるんですよ」

「じゃ私怨は、いいものなんですね」

「もちろん」

「もったいないことをしたわ」

響子《きようこ》はそう言って笑った。


『アバノの再会』


人間は、私小説的体験でしかほんとうの仕事をしない、というのが、私の昔からの実感であった。病気、貧困、差別、暴力的な行為による不安な生活、戦争。それらのものはすべて願わしくないものだから、根絶するように動くべきなのだが、たまたまその体験をした者は、それを肥料にして、大きな仕事をすることもある。しかしこういうことを言うと、「あの人は、戦争もいいものだ、などと言っていた」という非難を受けるから、社会的に責任ある地位についている人は、誰も恐ろしくて、本当のことが言えないのである。

不幸を決して社会のせいにしてはいけない、と私は思い続けて来た。不幸はれっきとした私有財産であった。だからそれをしっかりしまいこんでおくと、いつかそれが思わぬ力を発揮することがある。しかし社会が悪いからこうなった、という形で不幸の原因を社会に還元すると、それは全く個人の力を発揮しないのである。

『神さま、それをお望みですか』

不公平に馴れないと器が小さくなる

私が会長として働き始めた時、財団の中にほしい空気がいくつかあったのですが、その一つが、不公平に馴れる、不運を笑える、ということでした。不公平を奨励するつもりはありませんが、この世に完全な平等などありません。だから、むしろ人間社会とはそういうものであるということを覚悟しておいて、いちいち傷つかないように精神を鍛えておいたほうがいい、と考えたのです。不運を笑うといっても、命を落としたり、長患いしたり、職場で長く疎《うと》んじられる、というようなことだったら笑ってはいけませんが、せめて小さな不運を楽しめるようになってもらいたいなと思いました。

私は財団で、立派な松茸を分けていただいたことがありました。どなたかが秋に送ってくださったんでしょう。一つの籠《かご》に五本入っていたので、まず私が会長の権限で二本取りました。これを「汚食《おしよく》」と言うのよ。残りの三本は、次に部屋に入ってくる人に一本ずつあげることにしました。幸運な三人は比較的若い職員で、不運な四人目は、私がいつも世話になっている秘書室の責任者でした。その人は男性だったので、さして松茸がほしかったわけではないと思いますが、「それは残念でした」と笑って悔しがってくれました。何でも公平が一番大事だという空気が蔓延《まんえん》すると、組織には笑いもゆとりもなくなり、人間はどんどん器が小さくなっていくような気がしますから、ばからしいことで、そうした空気を取り除いておくほうがいいんです。

『日本財団9年半の日々』

「人間は平等」と日本人は教えられたが、しかしこれはれっきとした嘘であった。およそ地球上に存在する総《すべ》てのものは、決して平等の運命にあずかれるようにはなっていない。同じ電車に乗っていて、その電車が衝突事故を起こしたような場合、どうして誰かだけが命を落とし、他の人が無傷でいるのだ。平等を嫌う遺伝子さえも、人間の中にはれっきとして埋めこまれていると思うことがある。人をだし抜いて、自分だけがいい境地に行きたいと思うのがその表れである。ただどんなに運命は不平等でも、人間はその運命に挑戦してできるだけの改変を試みて平等に近づこうとする。それが人間の楽しさである。

『酔狂に生きる』

この世の矛盾が人間に考える力を与えている

この世は矛盾だらけだが、その矛盾が人間に考える力を与えてくれている。矛盾がなくて、すべてのものが、計算通りに行ったら、人間は、始末の悪いものになったろう。すくなくとも、私は考えることをやめ、功利的になり、信仰も哲学もなくなる。正義が果たされる現世《げんせ》など、決して、我々が考えるほどいいものではない。逆説めくが、人間が人間らしく崇高であることができるのは、この世がいい加減なものだからである。正義は行われず、弱肉強食で、誰もが容易に権力や金銭に釣られるから、私たちはそれに抵抗して人間であり続ける余地を残されているのである。

『あとは野となれ』

苦悩のない人は、人間性を失う

「しかしこれは言っておかねばならない。苦悩ということは、人間にとって極めて大切な要素だということです。苦悩のない人間は、人間性を失う。神も人も見なくなる」

『哀歌』

秀でているところ、などと言うと、また世間はすぐ常識的なプラスの意味でしか考えない。しかし世間は複雑で、秀才でなく凡庸、協調でなく非協調、勤勉でなくずぼら、裕福でなく貧困、時には健康でなく病気すら、人を創《つく》り上げる力を持つ。

『自分の顔、相手の顔』

私たちは常に人生からも、今回は地震からも何かを学ばねばならない。それが人間の分際というものだ。そして今、私の耳には再びアウグスティヌスが「存在するものはすべて善である」と考えた強烈な叡智《えいち》の言葉が聞こえてくるような気がする。いかなる運命からも学ばない時だけ、人はその悲運に負けたことになる。

『揺れる大地に立って』

人生のほんとうの意味は苦しみの中にある

ごく普通の人間は、パウロの言うように、苦しみの中からしか、ほんとうの自分を発見しない。はっきり言えば、幸福である間はだめなのである。幸福である限り、人間は思い上がり、自信を持ち続け、そのような幸福や自信がいつくずれるか、と思ってははらしている。いや、はらはらする人はまだいい。たいていの人が、自分は「幸福にふさわしい人間」だとさえ思っているのである。この幸福は努力によって手に入れたもので、自分の心がけが悪くない限り、まず運が狂うことはない、と思う。

その点、パウロは甘くない。パウロのものの言い方は経験によっている。世の中は、決して正当に報いられたりしてはいないこと、火傷《やけど》をしなければ普通人間は分からないものなのだから、私たちは火傷の後に、人生のほんとうの意味を理解して、強い人間になる、ということなのである。

『心に迫るパウロの言葉』

誰が言わなくても、雪国に住む者は、冬の辛《つら》さがなければ、春が熟《う》れないことを知っている。東京の冬は毎日底ぬけに明るく陽気だが、その分だけ春には匂いが欠けていることに気がついていない。

『湖水誕生』

辛い時は逃げるべきか、向き合うべきか

辛《つら》い目に遭いそうになったら、まず嵐を避ける。縮こまり、逃げまどい、顔を伏《ふ》せ、

聞こえないふりや眠ったふりをし、言葉を濁す。

このように卑怯に逃げまくる姿勢と、正面切って問題にぶつかる勇気と、両方がないと人生は自然に生きられない、と私は思うようになったのである。

逃げることを知らない人は、勇敢でいいようだが、どこか人間的でない。うちひしがれることを自分に許せない人は、外からみてもこちこちな感じがして近寄りにくい。

同様にいつまでも逃げている人は、決してことを根本から解決することもできない。


『悲しくて明るい場所』


「私ね、子供の遊ぶ遊び、何でもうまいのよ」

バスは砂埃をあげ、夕陽を追いかけるように西に向かって台地の上の砂利道を走った。

「ビー玉や、メンコ？」

「もだけど、凧《たこ》あげもうまいの。悲しい時はよく凧をあげたわ。夢中になると、辛いことを忘れて来ちゃうの。三雲《みくも》さんは辛い時、どうするの？　お酒飲むとか賭事するとか……」

「そうだな、僕は何もしないな」

「何もしないでどうするの？」

「何もしないでじっとその事の意味を考えてる。そうすると何となく解決の道が見えて来るものさ」


『無名碑』

すぐに答えを出さないのも偉大な知恵

「でも、私はあなたに、苛酷《かこく》な運命を受けなさい、それが当然よ、とも言えない。私自身が最高に怠け者で、辛いことは避け続けてきたんだから。

中絶してもいいのよ。ただその時は、命一つ殺します、と思ってやればいいじゃない。あなた、人間は誰だって何だってやるわ。自分が追い詰められれば、盗みだって、詐欺だって、売春だって、良心を売ることだって、変節することだって、何だってやりますよ。人殺すことだって平気でやるでしょうね。たまたま今までは、周囲の状況がそういうことをやらなくて済んできただけだから」

「……」

「今日、答えを出さなくて、いいのよ。答えを引き延ばす、っていうことだって偉大な知恵なんだから。私なんか長い間、その手でどうやらその場しのぎをやってきたんだわ」

「そうですね。或る朝、突然に、ものの見方が変わっている、ってことはありますね」

『飼猫ボタ子の生活と意見』

姑息、というのは「いっとき息をつくこと」だという。私はいっとき息をつくことの偉大さをいつでも身にしみて考える。今日自殺しようと思っている人が、友達の家で温かく迎えてもらい、「とにかくお風呂にお入りなさい」と言われ、御飯をごちそうになって「思い詰めたっていい考えも浮かばないから、差し当たり今夜はゆっくりお休みなさいよ」と言われてその通りにしたために、結果的には死ぬチャンスを失ったというようなことはよくある。

私は今までにも、ずいぶんものごとの結論を引きのばして来た。今日、答えを出そうとすると、どこか姿勢に無理が出る。私らしくなく、明確に答えを出すことは危険である。しかし一晩二晩ゆっくり眠り、二日三日折りにふれて考えるということを繰り返して行くと、決して最善の策でもなく、賢い解決法でもないのだが、結果として私らしく、どうやら後で自分の愚かさを後悔しない程度には身の丈に合った答えが出るのである。

『悲しくて明るい場所』

すべてのものに適切な時期がある

すべてのものに時期がある。旧約聖書の伝道の書の中には、すばらしい一節がある。

天《あめ》が下のすべての事には季節があり　すべてのわざには時がある
生まれるに時があり　死ぬに時があり
植えるに時があり　植えたものを抜くに時があり

殺すに時があり　いやすに時があり
こわすに時があり　建てるに時があり
泣くに時があり　笑うに時があり
悲しむに時があり　踊るに時があり
石を投げるに時があり　石を集めるに時があり
抱くに時があり　抱くことをやめるに時があり
捜すに時があり　失うに時があり
保つに時があり　捨てるに時があり
裂くに時があり　縫うに時があり
黙るに時があり　語るに時があり
愛するに時があり　憎むに時があり
戦うに時があり　和《やわ》らぐに時がある

もう三年遅くめぐり会っていれば、あるいは結婚したかも知れない相手と、少しばかり早く会いすぎることもある。しかし同じ梅の実でも未熟なものは、危険なのだ。同じ相手でも、時が来ぬ前の恋はうまくいかない。

『誰のために愛するか』


自分を言葉の上で陥れた人たちに対して、強烈な悪意を抱いていた人がいた。殴り合いこそしなかったが、いつもいつも、その人が自分についてどんなデタラメを言っているかを世間に訂正し続けなければ、その人の心は休まらないのであった。

それが突然、ある時期からこの人はその手のことに触れなくなった。「語る時」があった後で、この人は「黙する時」を見つけたのだ。

それは季節の遷《うつ》り変わりと同じように自然さに満ちたものなのかもしれない。人間は普通、俄《にわか》に深い知恵を持つことはできない。人は長い年月、時には迷い、時には間違い、時には愚かなことに情熱を燃やし続けて、その果てに最高の選択の時に出会う。

雪が降り、若芽がふき、灼熱《しゃくねつ》の太陽が出て、その後に初めて紅葉の色鮮やかな秋に導かれるように、である。

不幸な人だけが希望を持てる

〈バラ窓って、ステンドグラス嵌《は》めた窓だから、たいてい西陽を受けるようにできてるんですって。陽が西に沈むと、そのバラ窓が輝き出すのよ。その時の条件の一つは、中が暗いってこと〉

〈暗い、ねえ。眼が昏《くら》い。頭が悪い。性格が暗い。運がない。境遇がひどい。お先真っ暗。全部、僕に当てはまるな〉

〈教会の中は、罪の闇《やみ》の象徴なのよ。人間の汚濁《おじょく》の捨て場よ。そういう中に蠢《うごめ》いている人だけが、光を見るの。最初から清潔で明るいとこにいる人には、バラ窓の光なんか見えないんでしょう〉

〈悪い奴が得するんだね〉

〈得をするかどうかはわからないけど、きれいなものを見る可能性は与えられてるの〉


『生活のただ中の神』

〈可能性って奴は偉大だね。それがないと、気が滅入《めい》っちゃうもんね。もっとも僕はいつも可能性だけで、現実を手に入れたことはないんだけど〉

翔《しょう》は調子に乗って言った。

〈知ってます？　幸福でない人だけが希望を持ってるの。幸福になってしまった人は、それをなくすことだけを恐れるようになるの。苦労は同じよ〉

『夢に殉ず』

闇がなければ、光がわからない。人生も、それと同じかもしれません。幸福というものは、なかなか実態がわからないけれど、不幸がわかると、幸福がわかるでしょう。だから不幸というのも、決して悪いものではないんですね。荒っぽい言い方ですが、幸福を感じる能力は、不幸の中でしか養われない。運命や絶望をしっかりと見据えないと、希望というものの本質も輝きもわからないのだろうと思います。

『思い通りにいかないから人生は面白い』

いくら嘆いても不運は去らない

嘆いてみたところで、不運が去ってくれるわけでもない。暗い顔をして生きるのも人生なら、明るく生きるのも同じ人生だ。どちらが自分と他人《ひと》にとっていいことか？

『アレキサンドリア』

病気、受験に失敗すること、失恋、倒産、戦乱に巻き込まれること、肉親との別離、激しい裏切りに遭うこと、などを耐え抜いた人というのは、必ず強くなっている。そして不幸が、むしろその人の個人的な資産になって、その人を、強く、静かに、輝かせている。

不幸に負けて愚痴《ぐち》ばかり言っている人に会うと、チャンスを逃してもったいないなあと思う。人間は、強く耐えている人を身近に見るだけでも、尊敬の念を覚える。

『幸せの才能』

思いがけない不幸が人を輝かせることもある

幼い頃、知恵遅れに見えた少年が、実はほんとうにのびのびとした秀才だったというケースもある。反対に学校では幼い時から成績もよく体格もよかった人に精神の強靱《きょうじん》さがなくて、いつも人の後にいて、世間の反応を恐れている場合もある。

私が土いじりを楽しむのも、植物が意外な形で人生を教えてくれるからであった。よく植物は人間の愛情を知っていて、頻繁に足音を聞かせたり、話しかけたりするとよく育つと信じている人がいる。しかし私の体験では、種が納屋の後ろなどの小さな隙間に飛んで芽生え、人間から忘れられたようにろくろく肥料も水も貰《もら》えず育つと、まともな畑に植えられた株より大きくたくましくなることもある。

人間も同じで、人は決して教育する者の予想通りにはならない。思いがけない不幸が、予想もしない重厚な人間性を創ることもあるのだから、私はいつも人に対して深い畏敬の念を抱き続けられるのである。

『自分の財産』

人は限りなくその人らしくある時、尊厳に輝いて見える。しかし何かに似せることを考えていると、とたんに光彩を失う。声色《こわいろ》や物真似で売る芸人が、どうしても一流には成りえない理由である。

時々、「妹が精神病院にいます」とか「兄が刑務所に入っているので」と淡々と語ってくれる人に出会う。その人はその事実から逃げなかった。事実を受け止め、病人や老人や、社会に適合して行けない性格の人を優しく庇《かば》って行こうとしている。その生き方が私の心を捉えて放さないのである。

魅力の背後には、必ずその人に与えられた二つとない人生の重みをしっかりと受け止めている姿勢のよさがある。彼らは現実から逃げも隠れもしていないのだ。すべての人は重荷を背負っているが、その重荷の違いが個性として輝くからだ。その個性によって育てられた性格と才能でなければ、ほんとうの力を発揮しえないのも事実である。

『ただ一人の個性を創るために』

人間は死の前日でも生き直せる

私は、四十代の終わりに眼の病気にかかった時、光というものをほとんど感じられず、すべてのものがチョコレート色の暗がりの中で三重にずれていたため、発狂しそうになっていました。中心性網膜炎という眼のストレス病にかかったのが引き金で、極度の白内障が進んでいたのです。

先天性の強度の近視があったので、おそらく眼底も荒れていて、手術後の視力は保証できない、と言われました。検査が続くうちに私の視力はどんどん悪くなり、私は読み書きができなくなって、数本の連載をすべて休載するために、ある日、複数の出版社をお詫びに歩きました。

私は時々、手術が失敗した時の「身の振り方」を考えました。鍼灸《しんきゅう》マッサージが得意だったので、盲人としてこの職業に就こうと思いましたが、まだ小説に未練もありました。どんなに眼が見えなくなっても、小説は書けると思う、と言ってくれる人もいましたが、私はそれに納得できませんでした。小説は読み直し推敲して、完成する。読み直しが充分にできない状態で、とても長い小説は書けない。

生きてこの眼でもう光を見ることができないのだな、と思うと、呼吸も苦しくなりました。生来の閉所恐怖症もあったので、視力を失うことが生きながら埋められるような気がして、何より怖かった。時折襲ってくる自殺願望を、私らしくない、と笑いとばそうとしていましたが、うまくいかない状態でした。

ところが、私の眼の手術は信じられないほどうまくいったのです。心配していた硝子体《しょうしたい》の摘出もなく、針で突いたほどの小さな黄斑部と呼ばれる視神経の集まった部分だけが、奇跡的に健全だったおかげで、私の眼は急に健全な人と同じ視力が出るようになりました。五十年近く、眼鏡なしではほとんど見えなかったのに、突然、世の中のすべてが透明に見えるようになったのです。

結論を私流に簡単に言うと、人生はどこでどうなるかわからないから、それを待ったほうがいい、ということです。人間は、いくつになっても、死の前日でも生き直すことができる。最後の一瞬まで、その人が生きてきた意味の答えは出ないかもしれないのですから。

人生に奇跡が起きる時

奇跡というものは証明できないものです。分からないのが奇跡であって、その奇跡を説明するということになると、人間には無理がいく。もちろん、「奇跡なんて」と言う人に無理に信じなさいというものでもありません。

ただ、ルルドでは別の形の奇跡はあります。ここには、目の見えない方もよく来られて、泉の水で目を洗ったり、水を飲んだり、沐浴《もくよく》をしたりします。そのようなことをして、なかには突然見えるようになった人もあるかもしれませんが、たいていの人は別に見えるようにはならないのです。

しかし、その見えるようにはならなかった人も、ルルドに集まってきた多くの人たちと一緒に祈り、夜になると何千人もが参加する蠟燭《ろうそく》行列に参加します。そのとき、みんながが歌える聖母マリアの歌がひとつあるのです。初めのところは各国語で歌うのですが、最後の「アヴェ・アヴェ・アヴェ・マリア」というところだけは同じ歌詞ですから、全員が歌えるわけです。

今、たまたま健康である人と病んでいる人とが、お互いの存在を受け入れ、受容のなかに組み込まれたときに、突然、自分が人と違って、たとえば視力を失ってしまったとか、歩けなくなってしまった、とかいう不幸に対して、恨みでなくて、ある許し、受容、愛に包まれているという感情を持って、自分の身の上に起きた常識的にいうと不幸を何とかして生かして、残りの人生をみごとなものにしようと思う人が出て来るでしょう。それもかなり多くの人がその境地に到達します。

私はそれを奇跡だと思うのです。見えない眼が見えるようになったわけではありません。しかし、その不幸によってもたらされたプラスの意味が突然分かる人がいる。私は奇跡というのはそういうものだと考えているわけです。

『現代に生きる聖書』

生涯における幸福と不幸の量はたいてい同じ

不思議なことに、長い人生なら、運の良し悪しはたいてい均《なら》されるものだし、それぞれに思い通りにいかない人生と闘ってきたあとだから、そこに多少の差が出ても納得できるようになる。努力した人が必ずしも富や権力や幸福を得るわけでもなく、怠けた人や頭の悪い人がどん底に落ちることもない、というこの世のからくりの面白さがわかってくるんですね。

『思い通りにいかないから人生は面白い』

よくも悪くもない人生、ではない。人生はよくも悪くもある、のである。

『ただ一人の個性を創るために』

第三章　人間関係の基本はぎくしゃくしたものである

他人には自分のことなどわからない

人は、他人のことをわかっているつもりで噂《うわさ》をするが、実は何も事情を知らない。

『想定外の老年』

本当は、人間同士には他人のことなど全くわからないものなのである。親のことも子供のことも、夫のことも妻のことも、知らない部分がたくさんある。ましてや一つ屋根の下にもいない他人のことなど、どうしてわかるのだろう。それなのに、人は平気で他人のことをああだこうだと言う。新聞も週刊誌も、記事の多くはわかるはずのない他人の話である。

『生活のただ中の神』

考えてみると人間というものはおもしろいものだ。一人としてこの地球上で、同じ地点に立ち、同一の空間を所有することができない。戦争や内戦の砲撃や空爆の時、子供を胸の下に抱いて伏せた母は、当然自分の身で危険を防ごうとしたのである。しかし全くの偶然から子供が犠牲になり、母親が生き残ってしまった、というような例はよくあるのだ。

二人が同一の平面と空間を占めることができれば、親子は生きるか死ぬか、同じ運命を辿《たど》れるはずだ。しかし一人として同じ地点に立てないから、生死も分けることになる。つまりすべての人が、わずかずつではあっても、人生の違った光景を見ている。だから自分以外の人が何を見て何を感じているかを、理解できない場合があっても当然だ。

他人の心をわかったと思ったりしてはいけない、と私は長い間自分を誡《いまし》めて暮らして来た。今も同じである。相手のためを思ってしたことでも、時には理解が足りず、的はずれになっていることもあるだろう、と覚悟していれば、相手がこちらの善意をわかってくれない場合でも、大して怒ることなく済みそうである。

『幸せの才能』

人間関係の普遍的な基本形は、ぎくしゃくしたものなのである。齟齬《そご》なのである。誤解であり、無理解なのである。

『人びとの中の私』

噂話で幸せを味わう不幸な人たち

たいていの噂話は、その底に相手の不幸を望む要素が含まれている。相手の家庭の不幸、相手の心に潜む闇の部分。要素はさまざまあるが、噂は相手を陥れたい気分の変形であることが多い。

実は相手を蔑視、劣等視することで、わずかながら自分に自信をつけたり、幸福を味わったりする心理の操作は、どこにでもあるものである。

『人間関係』

私たちは情報については、どれほども疑い深くならなければならない。私自身、おもしろい噂をさんざん立てられた。自分についての情報がこれくらいデタラメなのだから、他人の噂も同じ程度におかしいのだろうと考えて、私はゴシップを全くといっていいほど信じないことにしている。誰も或る人間がなぜそのように生きたか、なぜそんな死に方をしたのかわかることはできない。しかし、そのような他人の眼、他人の噂に、がっちりと自分の進むべき道をおさえられている人もまた、実に多いのである。

『人びとの中の私』

人は誤解される苦しみに耐えて一人前になる

悲しいことだが、それらのことを思うと、人間は誰でもいつでも、正確に理解されることはなくて当たり前、と思うべきだろう。そこで苦労も闘いの必要性も出て来る。もっとも或る年まで生きると、この世で生活するということは、人間が温かく理解されることと共に、無視され、誤解され、反対される苦しみに耐えることも含まれるということが自然わかってくる。そしてもしこのような苦しみがなかったら、私たちは誰でも、今の自分より幼稚になり、早く老いるだろうということは間違いないようにも思われる。

自分が理解されていないという悲しみに出会うと、私たちは自分一人だけがそういう目に遭っていると思いがちである。しかし、古今、洋の東西を問わず、多くの人が全く同じような苦しみをなめてきたのであった。


『心に迫るパウロの言葉』

褒められてもけなされても人間性に変わりはない

一般に、自分がよく思われたいと期待する時に、そこに奇妙な緊張を生じる。よく思われて褒められなくても、私は私なのである。褒められたからと言って、私の実質に変化があるわけではなく、けなされたからと言って、私の本質まで急に悪くなるわけではない。

時々世間には、「悪者」だと言われる人が出てくるが、その人がどの程度「悪者」であるか、「善人」であるかは、世間の風評とは全く関係ない。よく思ってもらうことを、世間に期待しなくなると、人間は地声で物を言っていればよく、とびはねて歩かなくても大地を踏みしめて立っていられ、まことに楽になる。世渡りから見ると、これは下手なのだろうが、この自然さは、精神に風通しをよくするから健康にいい。

『人びとの中の私』

他人の言葉で不幸になってはたまらない

「母の一言《ひとこと》で、私は人生を生きる姿勢を教えられたんです。自分で生きなければならない、ってことですね。母であろうと人の言ったことで不幸になってはたまらない、と思ったんです」

『二月三十日〈一言〉』

私たちは、世の中でいつも、外界の考えや意見にさらされていますが、そもそも人間としての答えが違えば、考え方も違うものなのです。ですから、他者の言うことにいちいちそれほど傷つく必要はないと思います。

『曽野綾子の人生相談』

誤解されても堂々と生きる

「どうしてわかってもらわなくて平気なの？」

「別にはっきりとした神さまや仏さまがいるわけじゃないのよ、お母さんの心の中に……。だけど、なんだか、どこかで人間の心を全部見ていらっしゃる方があるような気がしてるのね。本当に怖いのは、その方だけだ、という気がするの。後はどうでもいいよ。人は他人のことを勝手に決めつけるけど、本当は、全くわかっちゃいないんだから」

「わかってもらえないのは辛いよ」

「だけど、最初からそんなものだ、と思ってれば、楽なこともあるよ」

口に出しては言わなかったが、光子《みつこ》は、お母さんの言うことを一言一言覚えておこうと思っていた。いつか、お母さんの言葉が、決定的に自分を救うことがあるような予感がしてしまうのである。

『極北の光』

しかし私はこの現世で、確実に毎日、神がどこかで私を見ているという実感はある。私が一生、あまり深く悩まなかったとすればそのおかげだ。

どこかで神が私のすることを見ているとすれば、私の行為は、過大にも過小にも評価されることはない。私がどんなにうまく世間を言いくるめようとしても、神の眼には「この嘘つきめが」とこっけいに映る場合もあるだろう。

しかし私が誤解されているようなことを実際にはしていなければ、何一つ言い訳しなくても、神は見ていてくださるという実感はある。これこそが爽《さわ》やかさの本質だ。（中略）

人間は他人のすべてを見通すことはできない。

人間をほんとうに過不足なく理解するのは、個人の隠れた部分までを見る力を持つ神だけである。だから、信仰を持つ人が、誤解を恐れずに爽やかに生きられるというのは、ほんとうだろうと納得している。

『幸せの才能』

職場の出世が分相応なわけではない

人間は神ではない。だから、冤罪《えんざい》を放置していいということではないが、神のような正しい判断を誰かに期待してもいけない。私たちは、先生、友達、親、上役、同僚、子供、親戚《しんせき》などから、正しく理解されることを期待すべきではないのである。反面私たちも、決して人を正確に理解していない。それゆえ、あやふやなデータで人のことを書いたり裁いたりすることだけはしてはいけない、と私は子供に叩《たた》き込んでおきたかったのである。通信簿が正確だったり、入学試験がほんとうにその人の力を見抜くものだったり、職場の出世がその人の力に応じていたりすることはもともとないのである。

『二十一世紀への手紙』

人を疑うことで生じる幸せ

日本人は信じるという言葉を、無考えに美徳として使っていると私はかねがね思っている。信じるということは、疑うという操作を経た後の結果であるべきだ。疑いもせずに信じるということは、厳密に言うと行為として成り立たないし、手順を省いたという点で非難されるべきである。

私の経験からすると、多くの場合、疑った相手はいい人なのである。すると疑った人間（私）は恥じることになる。しかし疑わずに騙されて、相手を深く恨んだりなじったりするよりは、疑ったことを一人で恥じる方が始末が簡単なのである。しかも疑った相手がよい人であったとわかった時の幸福はまた、倍の強さで感じられる。

『アラブの格言』

人の生き方に口を出すべきではない

友人というものは、私の子供でもなく、親でもなく、夫でもなければ、兄弟・姉妹でもない。恋人ですらない。ということは、私は、相手から意見や感想を求められない限り、いささかでも、彼らの生き方に口を差し挟む立場にないのである。私はただひたすら外からその成功や健康を祈ればいいのである。

しかし時々、その区分を乗り越える人がいる。「あの人は評判の悪い人だから、付き合わない方がいいわよ。あなたもそういう人だと思われるから」という注意を受けたこともある。

しかし夫でも父でもなく、息子でも兄でも愛人でもない人の評判など、どうして私は気にしなければならないのだろう。その人の知り合いや友人だから、ということで、私もその人と同類だと思うような単純な人なら、むしろ私はそちらの方の人と付き合わない方が無難なのではないだろうか。私は世間の誤解や雑音を覚悟の上で、付き合いたい人と付き合って来た。人生はすべてのことに代価を払わなければならない。それが強い個性のある友人を持てた第一の秘訣でないかと思う。

『悲しくて明るい場所』

世間からどう思われてもいい。人間は、確実に他人を正しく評価などできないのだから、と思えることが、多分成熟の証《あかし》なのである。それは、自分の中に、人間の生き方に関する好みが確立して来たということだ。大きな家に住んでいる人が金持ちだとか、肩書の偉そうな人がほんとうに偉い人だとか、信じなくなることだ。そのついでに、相手に自分をほんとうに理解してもらおうとする欲望もいささか薄くなることでもある。

『人間にとって成熟とは何か』

誰からも嫌われていない人は一人もいない

人間関係ほど、難しいものはありません。どんな人でも、必ず誰かに好かれ、誰かに嫌われている。できたら誰にも嫌われないほうがいいけれど、現実はそういうものでしょう。

私は友人に恵まれて、独身時代からずっと続いている友だちもいれば、六十を過ぎてから知り合って、ほんとうにいい友だちになった人もいます。でも、長く付き合っているうちにダメになる場合もありました。

私は長い人生で二人から「あなたとは、もう付き合わない」と、はっきり言われたんです。別に何か決定的な出来事があったわけではなく、たぶん温度差のようなものが生まれたんでしょうね。しかも私のほうから絶交したわけではないので、私は仕方なく受け入れることにしました。

心ならずも結果的にそうなったら、それとなく相手から遠ざかり、相手の気分を悪くしないほうがいいでしょう。そして、私はあまりそのことを深く悲しまないようにしてきました。

自分に変なところがあるのはよくわかっていますから、それを許してくださる方と許してくださらない方とがあって、許してくださる人と、感謝してお付き合いしていくほかはないんですね。それが自然ではないかと思っています。

家族と少数の友人だけは、長い年月かかって、あるがままの自分を認めてくれる。だから貴重な存在なんですね。


『思い通りにいかないから人生は面白い』


キリスト教の思想の中には「原罪」という観念がある。すべての人は、人祖から負った罪があり、自分で犯した罪がなくても、生まれながらにして罪の要素を背負っているという考え方である。

私は子供の時から屁理屈《へりくつ》をこねるのが好きだったから、自分で犯したのでもない罪などというものを、引き受けることはまっぴらだと考えていた。しかし中年になって、或る時、一人の婦人が言うことを聞いて、ふと原罪の姿が見えたように思ったのである。

その女性は、極《ご》く普通の結婚をした。夫になった人は、女手一つで育てられた。つまり姑にとって彼女の夫は、たった一人の「かわいい、かわいい息子」だったのである。だが、それくらいの事情は世間にいくらでもあるだろう。しかしその姑は、嫁を激しく憎んだ。何もしなくても、ことあるごとに辛く当たった。

「私は一体、お姑《かあ》さまに、どんな悪いことをいたしましたか？」

とその嫁は或る日、開き直って姑に聞いた。すると姑は答えた。

「何もしなくったって、ただあんたがいるというだけで、私は不愉快なんだよ」

その答えほど、原罪というものを説明しているものはなかった。


『風通しのいい生き方』

他人を傷つけずに生きることはできない

私たちは日常、何気ない言葉を使う。

「駅をお下りになって一本道を突き当りまでいらっしゃると、白い大きな家が見えますから、そこを右に曲って頂くと、うちは右側の二軒目です」

これは多くの人々には何でもない説明である。しかし、家を建てたくても建てられない人、かつて大きな白い家に住んでいたがそれを売るような運命に遭ってしまった男、小さなアパートに姑と顔をつき合わせていつもいらいらしている女、には、やり切れない一言になるのである。

「○○さんとこ、よかったわね。ご主人は部長におなりになるし、下の男のお子さん、今度、ＡＢＣ幼稚園にお入りになれたんですって」

人の不幸を喜ぶより、幸運を祝福し合う方が、どれだけ気持ちのいいことかしれない。しかし、夫が部長になれず、子供がＡＢＣ幼稚園を実は秘《ひそ》かに受けていて落ちた子の母がこれを聞いたら、殺してやりたいような思いになるかもしれない。事実、こういうことで起きる殺人が、多くはないにしても、時々世間にはあるのである。

実に私たちは、人を傷つけないで生きることなどできない。「ド近眼」とか「ツンボ」とさえ言わなければ、それで人を差別していないなどと思うこと自体が、甘い考え方である。私たちは、何をしても人を傷つけるということを承認し、それゆえに、なまなかなことでは自分も、子供たちも、家族も傷つかないような強靭な精神を持つことの方が先決問題である。

『ほんとうの話』

拒否され嫌われ愛されて現在の自分がある

他者がどれほど自分を育てる役割をするか。私たちは一人では決して自分をこれだけにもすることはできなかったのである。拒否され、嫌われ、積極的に意地悪をされ、時に愛され、救われ、ホメられ、その中で、私たちはどうにかこうにか一人の人間《じぶん》を創り上げて来たのである。

『絶望からの出発』

他人の行動に巻き込まれるのが人生

破壊的な行為がこの世からなくなることは、未来永劫ないだろう。人間は誰もが、自分の好みとは違う人たちの行動に巻き込まれる。それに関わらせられることが、つまり生きるということなのであった。よいことにも煩わしくないことにも、双方に関わることが人間を作って来た。よいことだけでは、恐らく人間の性格は複雑には形成されないのである。

『陸影を見ず』

他人をいじめる人の特徴

人をいじめるという性格は、一つの特徴を持っている。強いように見えていて、実は、弱いのである。「自分は自分」という姿勢がとれない。

弱いとは言っても、病弱なのではない。特に容姿が劣っているわけでもない。子供が病気なのでもなく、夫が失業しているのでもない。強いて言うと、当人に、「特徴」がないのである。

人間は誰でも、何か一つ得意なものを持っていれば、大らかな気分になれるものである。女性の場合、他人は知らなくても、簿記とか栄養士とかの資格を持っていたりすると、仲間の裁縫の上手な人に、「あら、いいわねえ。自分でお寝巻が縫えるなんて。私お裁縫てんでダメなの」と穏やかに言える。ホメられた相手は気分がいいからいい関係が生まれる。

『人生の原則』

誰もが他人のカンにさわるような生き方をしている

人の生き方に好みを持つのは仕方がないでしょう。立場を変えれば、誰でも、少しは相手のカンにさわるような生き方をしているものです。しかしそれを道徳的に裁くと、友情は壊れてしまいます。

他人の生き方が気にならないためには、自分の生き方が、確実な選択のもとにある、という確信が要ります。

別に正しい生き方をしているという絶対の自信を持てということではありません。こう生きるより仕方がない、という程度の見極めでいいのです。たとえ貧乏をしていても、たまたま裕福であっても、その人にとってよく合った暮らし方というものはそうそう多いものではありません。自分にとっていい生き方というのは、決して他人と同じに生きることではないのです。

『聖書の中の友情論』

人間はどんな人からも学ぶことができる

私たちはどんな人からも学び得る。学問も何もない人の一言が、哲学者の言葉よりも胸にこたえることがある。宝石はどこに落ちているかわからない。だから、私たちは、常に教えられるために心を開いていなければならないのである。

『あとは野となれ』

私は幼稚園からカトリック系の学校に入れられたのだが、そのことについて母が或る時、

「どんな人の前に出ても礼儀を失ったり、すくんだりすることのない人になるように」

と言っていたのを記憶している。

現世の富や権力に弱いと、そういう人の前に出た時、上がったり、震えたり、顔がこわばったりする。しかしほんとうは礼儀を失わないようにしながら、ごく自然でなければいけない。それには、どのような人間をも超える神の存在が意識にないと、人間は「偉い人」をやたらに崇《あが》めたり、その人に取り入ったりしたくなる。

反対の危険性もある。偉い人という観念があると、反対に見下げていい人が出て来る。職業とか、服装とか、学歴とかで、相手を見下したり、横柄《おうへい》な態度を取ったりするのである。

『二十一世紀への手紙』

人脈を利用する人に、ほんとうの人脈はできない

ほんとうに実力のある人は、有名人と親しいという話はほとんどしないもののような気がする。お互いに黙っているところに、信頼が生まれ親密な関係も続くのである。そ

れは同時に誰かと知己であることを、自分の金もうけや権力拡張の手段に使っていない、ということである。だから人脈というものは、人脈を利用しさえしなければ必ずできるという皮肉なものである。（中略）

手紙や名刺や写真を種に、誰それと親しいという印象を与える行為は、それだけで、「囚《とら》われている人」であり「魂の自由人」ではない。

『魂の自由人』

噂が人を殺すこともある

「うちの女房は美人でもないし、スタイルもよかぁないんですけどね、ほんとに生まれてこの方、噂話ってものをしたことないんです」

「珍しいね、今どきの人は、テレビの番組だってそうだけど、噂話に生きてるみたいなとこあるんだっていうけどね」

「貧しい職人のうちの娘なんですけどね、昔気質《かたぎ》の親父に言われたんだそうです。人殺ししたくなかったら、人の噂話するな、って。噂話で殺されてる人が世間にどれだけいるかしれない、って。あの女の取柄はその父親の言葉を守ったことだけですよ。もっともそれだから、駅前でずっと商売して来れたんでしょうけどね。

時に粗茶をもういっぱいいかがです？」

『アレキサンドリア』

深く付き合いすぎると互いにうっとうしくなる

よく私が書いている通り、私の母は福井県の田舎のやや没落した家に育った「普通の田舎者」だが、学問の世界では教えられない、いくつもの感覚的な助言を残してくれた。

家について母がいつも言っていたのは、一部屋に必ず二面以上開口部を取って、風通しをよくすることだった。私はこの教えをよく守って家の設計をした。できたら十文字に風の吹き抜けるような家がいい、と母は言ったことがある。今の家の台所に立つと、確かに風が前後左右から吹き抜けている。

家の周囲も、母に言わせると、空気の通りがよくなければいけないのであった。古い家の周りは、当時の家がどこでもそうだったように、八つ手や南天やもみじや紫陽花《あじさい》などがかなりぎっしりと植えてあったが、母はそれらの植物の葉が家の羽目板に触れないように、いつも鋏《はさみ》で自分で切り落としていた。風通しが悪いと、家が腐り、住む人も病気になると母は信じていた。（中略）

人間関係もそうであった。深く絡み合ったら、お互いにうっとうしくなる。世間の風が無責任に吹き抜け、お互いの存在の悪を薄めるくらいがちょうどいい、と私は思ったのである。もちろん一生に一人や二人、自分の存在によって迷惑をかける人が出るのは致し方ないが、重い関係になるのは、相手に悪いからできるだけ避けた方がいい。風が吹き抜ける距離を置くというのは、最低の礼儀かと思ったのである。

『風通しのいい生き方』

身の上話からたいていの人間関係は深みにはまるのである。

『アバノの再会』

「距離をとる」ことは人生の知恵

距離というものは、どれほど偉大な意味を持つことか。離れていさえすれば、私たちは大抵のことから深く傷つけられることはない。これは手品師の手品みたいに素晴らしい解決策だ。そしてまた私たちには、いや、少なくとも私には、遠ざかって離れていれば、年月と共に、その人のことはよく思われてくるという錯覚の増殖がある。

『人間関係』

そんなことを僕はつらつら考えて、時には何だか恐ろしくもなるんですけど、辛うじてわかったことは、親と子は、たまになら別ですが、いっしょに住んで始終連れ立って歩くなんてしない方がいいということです。動物だって、成長したら親とは別の生き方をしなくちゃいけない。人間も動物の一種ですからね。動物界のこの原則には従った方がいいんですよ。そうでないと、親も子も、お互いを深く憎むようになる。本来、問答無用の連帯感を感じていい関係が、憎み合うようになるなんて一番悲しいですからね。

『非常識家族』

子供は「親しい他人」と思った方がいい

子供は徹底して、親しい他人、と思った方がいい。ただし、刑務所を出所したその日、何も聞かずに迎えて、お風呂に入れ、好物を用意する特別の他人である。誰も他にこういうことをする立場の者はいない。

『中年以後』

人から褒められる生き方はくたびれる

人はどういう生き方をするかなかなかむずかしい。私の実感では、人から一度褒められるようになったら後が大変だ、という気がする。よく気がつく人だ、などと一度でも思われようものなら、ずっとそういう献身的な態度を要求される。あの人は人付き合いのいい方で、などと言われたが最後、あらゆるところからお誘いがかかり、お返しでまた呼ばねばならず、本を読む暇もなく、ずっとパーティーを開き続けていかなければならないのだ。

ことに地方の、伝統的な空気の強い閉鎖社会では、評判が人生を決めてしまうことさえある。

だから最初からわざと、あの人は役立たずだ、気がきかない、態度が悪い、神経が荒い、親切でない、ということにしておくと、当人はそれほど気張らなくても済むのである。ここが面白いところだ。

ことにいいことは、そういういささか悪評のある人がちょっとでもいいことをすると、それは意外な効果を生むということである。

もともと気がきくと思われている人なら、して当たり前のようなことを、気のきかないとされている人がすれば、「あの人も意外と考えているのね」と褒められ、普段から親切だと思われている人なら当然とされているようなことでも、不親切だという評判を取っている男がちょっと気配りを見せると「あの男も、時には味なことをやるもんだね」と大受けである。

『人生の収穫』

弱みをさらせば楽になる

欠点をさらしさえすれば、不思議と友達はできる。他人は私の美点と同時に欠点に、好意を持ってくれる。たとえ私が無類の口べたでも、私の弱点をさらすことによって、相手は慰められるのである。それは向こうが優越感を持ったからなんじゃない、と言って怒る必要はない。それも又、愛のひとつの示し方なのだ。そしてこの弱みをさらすことのよさは、弱点というものは、ひとに知られまいとしているからこそ、自分も不自由だし相手も困惑するのであって、それを、思い切ってさらしてしまったが最後、閉ざされていた場合に貯えられていた不毛のエネルギーのほとんどは雲散霧消してしまう。

『誰のために愛するか』

「ステキな夫婦」は危ない

「お前くらいどっしり太ると、安定がよくていい。おい太郎、嵐の日に出歩くときは、母さんの後を歩きなさい」

デブだということは悲しいが、しかしそれが実用的であれば、女は満足してしまう。

こういう言い方のできる夫婦は、まず家庭が明るい。私のみるところでは、ステキな夫婦はどこか危機感をはらんでいる。滑稽な夫婦は安定がいい。滑稽というのは弱点がむき出しにされることで、その弱点を愛してしまったら、他にどんな立派なきれいな女、二枚目の男が現われようとも、夫婦はめったなことでは心をうつされないのである。

しかし美しいから、立派だから、働きがあるから愛するのだったら、年老いたり、弱みをみせたり、病気になったりすれば夫婦は相手を捨てることになる。それをうすうす感じている夫婦は、表面仲よさそうに見えてもどこか暗い。

『誰のために愛するか』

人間には他人の不幸を喜ぶ心がある

おもしろいことに、愚痴でさえ、表現が下手だとうんざりする話になるが、整理がいいと芸術になり得る。

人間には醜い心があるから、他人の不運も時には楽しいのである。だから、自分が失敗した話、女房にやっつけられた話、自分の会社がどんなにろくでもない所かというような愚痴をこぼすことは、聞く相手にそこそこの幸福を与える。それを計算して喋《しゃべ》るのである。すると相手も、「まあまあ、そういうこともあるさ」と慰めながら、「俺はそうでなくてよかった」と思うこともあるだろうし、「失敗するのは、俺だけじゃないんだな」と安心したりもするのである。

もちろん友達が、自分の不運だけを願っているというのも大きな間違いである。友達は順調に生きていてくれないと基本的に困る。幸福は病気ではないが、波及し伝染するものだからだ。しかし小さな失敗くらいなら、「あいつもそうだったのか」という形で自分を慰められる。

『自分の顔、相手の顔』

他人の美点に気づくことは才能である

他人の美点をわかることは才能である。他人の悪い点に気づくことはどんな凡人にもできる。この美点の発見と顕彰《けんしょう》という作業は、自然に、という程度では足りない、と私は思っている。もっと積極的に、激しく、意識的に、私たちはこれをしなければいけない。美点の発見はお世辞や、おだてとは根本的に違うものである。お世辞は実体のないものに対して発する言葉である。しかし美点を見つけて褒めるということは、通常それほど簡単なものではない。それを完璧に、美しく果たすためには、私たちは常日頃、人間を見抜く眼を養っておく、いや、研《と》いでおかねばならないのである。

『絶望からの出発』

なぜか人は自分だけが不幸だと思い込む

　私の友人が、一人者の心理を教えてくれた。その人は、正月は決して日本にいない。日本にいると、皆が家族だけで固まって仲よくやっていて、一人者を寄せつけないように見えるのがハラ立たしいから、必ず外国に出てしまう、というのだ。

　その時私は言ってやった。

「そんなに仲よくしてはいませんよ。年越しの夫婦喧嘩もあるだろうし、息子夫婦にナイガシロにされて怒っている老夫婦もあるでしょうよ。妻が惚けて元旦から粗相した下着を洗っている夫もいるかもしれない。皆が幸せで固まっているなんて思うのは錯覚」

　人間はしかし誰でも、何かを思い込む。

　元旦やゴールデンウィークに、寂しい一人住まいの友人・知人と生活を共にするのはいいことだ。お互いに自然な安心感があるし、いっしょに暮らしてみれば、正月が家族がいれば寂しくないなどということもない、ということを知ることにもなるだろう。そして改めて自分の「ねぐら」が安住の地だということがわかり、自立して生きて行こうというふんぎりもつくのである。

その人が元気で運命が盛大である時には近づかないでいい、と私は思っている。しかし病気になったり、運命が傾いたり、一人になってしまった時には、「介入」もいいことがある。その人を癒す最大のものは、時間と、その人の勇気なのだが、それに他人がちょっと手を貸すのも悪くないのである。

『それぞれの山頂物語』

多くのことがその人にしかわからない価値を持つ場合が多いのだから、私たちは「喜ぶ者とともに喜び、泣く者とともに泣く」ことがいいのである。

『心に迫るパウロの言葉』

第四章　大事なのは「見捨てない」ということ

人間だけが愛を無限に与えられる

人間が他の野生動物と違うところは、思考し言語を持つということだろうが、それ以外に、本能に逆らって利益を他者に譲ることができるということにもあるだろう。もちろん一般的に言うと人間も利己主義的なもので、自分の損になることはしない、という。私の友人の一人は、「ボクはケチだから、お金もアメ玉も人にはあげない。でも愛は無限だから、いくらでもあげる」とわかったようなわからないようなことを言っている。まさに人間が人間であることを示すのは、愛の存在なのである。

『生きる姿勢』

この世は居心地が悪いからこそ、愛が必要

この世には居心地の悪い世界もあることに敢然《かんぜん》と私たちは耐えて、それを承認して生

きていく。居心地の悪い世界だから、そこに愛の必要性も生まれたんですよ。

『愛に気づく生き方』

私はカトリックの修道院が経営している未婚の母の家を訪ねたこともあった。ブラジルは一応中絶を禁止している。だから未婚で妊娠した女性たちが、赤ん坊を産む施設が必要なのである。

そこにお産を済ませたばかりの一人の軽度の知的障害者の母がいた。貧しさも極まっているようで、古いパジャマの上着とズボンの模様は別々のものであった。誰かがくれた古着なのだろう。

通訳のために同行した神父が「赤ちゃんはかわいいか？」と聞くと、彼女は胸を張って「愛のように美しいです」と答えた。

どうして知的障害者の彼女にこんな答えができるのだろう、と私は不思議だった。私はその夜、ホテルでもそのことを考え続けた。そして再び別のショックを受けた。おそらく貧民窟《ひんみんくつ》に育ったこの未婚の母の周囲では、赤ん坊の命は神さまの贈り物のように大切で、赤ん坊は天使のように愛らしく、みんなで育てていけばいいとする暗黙の励ましがあったのだろう。愛こそが人間を生かすものだ、という無言の教えもある。子供を育てるのに必要なものはお金だけではない、と社会は教えていたのだ。

『安心したがる人々』

人を好きになることだけが愛ではない

私は修道院の経営する学校で育ったが、そこにはたくさんの修道女たちが居られた。この人たちはいつでも優しく謙虚であり、善意に満ちているように見えた。しかし、その中の一人の修道女があるとき、私に言われたことが今でも忘れられないのである。

「人を愛するって申しましても、そうそう心から愛せるときばかりじゃございません。そんなときでも先《ま》ず、態度だけはその方のためになるように優しく致します。そこから始まるのです」

私は救われたような気がした。心では何と思おうと最低限、態度に表わすことだけを踏みとどまればいいというのなら、私にもできるかもしれない。

『誰のために愛するか』

聖書の愛には、親子の情愛、性的な関心、友愛、それから「敵を愛しなさい」（ルカによる福音書6章27～36節）という時の苦痛に満ちた「アガペー」という本物の愛があります。これは、嫌いな人に対してでも、努力して、心から愛しているのと同じような行動をとる「理性の愛」のことです。

アガペーのいちばん悲痛な形が赤十字で、傷ついた敵を撃ち殺さないで救う。敵はやはり憎いし、殺したいですよ。でも、そこを思い留まる。そういう理性の愛だけが、ほんとうの愛だと聖書は言います。

わかりやすく言えば、嫌いな姑さんがいたら、無理に好きになることはない。嫌いなままでいいけれど、自分の母親ならどうするだろうかと思うことを意志の力でやりなさい。嫌いな嫁がいたら、嫌いなままでよろしい、しかし自分の娘に対してするのと同じことをやりなさい、ということです。

口で言うほど簡単にはできません。途中で何度も挫折しながら、何年もかかって大きな建物を地道に建造するのと同じ操作で完成するのでしょうけれど、すごくいい定義だと思います。私は大酒飲みではないのでわかりませんが、ほんとうの愛は、きっと、いいお酒のように香《かぐわ》しいものだと思います。

『老いの才覚』

愛は行動である

愛とは、その相手に対して何を思うかではなくて、何をするか、何をしたかにあるのです。(中略)

その人は、いやなお姑さんに仕えて、亡くなるまでずっとお風呂に入れ続けました。そして、その後、障害者の世話をしたとき、「お風呂に入れるのが上手ですね」とほめられたのです。そのときに、その人はこう思ったと言うのです。私は亡き姑を時には憎み、向こうも明らかに私に意地悪をした瞬間もあったと思うけれども、その人の存在によって自分は障害者をお風呂に入れるのがうまくなり、次の愛に結ばれていった。あの姑に対する憎しみはいったい何だったんだろう、と。つまり、ある理性から続けたことが、現在の自然な人間の愛に結ばれていったことの不思議さに打たれたのです。

『現代に生きる聖書』

常に自然体がいいわけではない

キリスト教が出現するまでは、正義はハムラビ法典以来、被害と同質のものを同量だけ報復することであった。喧嘩の相手に一方の耳を切り取られたら、報復もまた一方の耳を切り落とすことであって、ついでに鼻まで削《そ》ぎ落とすことをしてはならないということから、同害復讐法ができたのである。同じ一神教でも、ユダヤ教とイスラム教とも違って、キリスト教だけが、報復ではなく許しを人間関係の根本原則とする。

しかし日本の世間一般も、まだそうではない。判決を傍聴する被害者の家族は、必ず極刑を望む、と言い、しばしば刑が軽すぎることを不服とするが、そういう談話が新聞に掲載されても、世間は当事者ともなればそうだろう、と納得しているのである。

許しが基本だと言っても、すべてのクリスチャンが、皆許しているかというと決してそうではない。私もまた「仕返し」を考えかねない一人である。ただ信仰の基本原則が許しを命じているから、そこで辛いのである。

この問題について、イタリアに住む友人が教えてくれた印象的な話がある。イタリアでは殺人事件などがあると、被害者の家族が「私たちは犯人を許します」という広告を出すことがあるのだそうだ。それは決して「心から許せました」のでもなく、「心から犯人の幸福を願うようになりました」ということでもないだろう。その広告は「私たちはたとえ内心はどうあろうとも、犯人を許さなければならない、と心に命じました」という一種の道徳的覚悟の披瀝《ひれき》のようなものであろう。

ここで人間は、自然体の自分と、「そのようになりたい」という自分との間の葛藤に苦しむようになる。

裏表があるのはいけない、どころではない。人間は壮大な裏表を体験することによって、初めてそうである自分と、そうでありたい自分との繋がりを見つける。それにしばしば失敗することはあるにしても、自分の可能性を見極める闘いに挑み、そのことのために苦しまねばならないのである。

『ただ一人の個性を創るために』

「許す」という行為は生きる目的になりうる

或る時、私は一人の陽気なスペイン人に会った。彼はカトリックであったが、この世に暗いことなどないような顔をしていた。しかしその人を私に紹介してくれた人があとで教えてくれた。

「あの方のお父さまは、スペイン市民戦争の時に殺されて、後、お母さまが十人のお子さんを育てていらっしゃったんですって。だけど、そのお母さまという方が偉い方で、『決してお父さまを殺した人たちを恨んではいけません。その人を許すことを一生の仕事になさい』とおっしゃったんですって」（中略）

「許すことを一生の仕事にするように」と言った未亡人は、恐らくその言葉を真っ先に自分に命じたに違いないのである。子供たちよりも、それは未亡人にとってむずかしいことであったろう。

或る人が、心の中で、自分の愛するものの生命を奪った相手を許したとて、それは、私が茶碗一個焼き上げるほどにも目に見えはしない。しかもそれは一生かかる。苦しい道である。しかも許したからと言って、それは赤十字社から表彰されるというものでもない。しかし、それは、実に、知られざる勇者の道だと私は思う。いかなる一生の目的よりも、苦しく、地味で、しかも愛の香気に満ちた、崇高な事業だと思う。いや、こういうことこそが、実は人間の本当の生きる目的になり得るのである。

『私を変えた聖書の言葉』

平和も戦いも好むのが人間

アフリカでは、しばしば虐殺が起きる。ルワンダのツチとフツとの間の抗争の記録など、恐ろしいものである。

その理由の一つは貧困。一つは教育が普及していないこと。一つは部族間には通婚がなく、その抗争がずっと続いていたからだ。

殺しは、殺さないうちには、血も凍るような恐ろしいことだが、殺し始めると、むしろ快楽になるらしい。相手の部族には長い間の社会的、経済的な恨みがある場合が多いから、殺す理由、復讐する理由は充分にあるのだ。

アフリカでは、貧困と飢餓が激しくなれば、平和など絵空事になる。貧しいのだから、見知らぬ人から、十ドルと、安い装身具を奪うだけでも、殺す甲斐があることになる。殺し始めれば、殺しも大したことはない。人はすぐ、相手を殺す理由くらいは見つけだす。教育がなくても、これだけは見つけられるのである。

ひとごとだと、私たちも思わない方がいい。貧しさも苦悩も知らない世代は、すぐ「切れる」のを当たり前にしている。アフリカの人々の方がずっと忍耐力があって切れないのだ。それでもこういうことをする。切れ易い人はもっと簡単に平和主義者からテロリストに変身するだろう。

『正義は胡乱』

本当に平和を通すということは、相手に攻撃されたら殺されていく決意をすることなのである。相手も自分に悪をしないだろうからという前提のもとに唱える平和論など子供だましである。なぜならさきほどから述べているように、人間の中には「ばか」「あっち行け」「死んじまえ」の三つの情熱が生理として組みこまれているからである。

『愛と許しを知る人びと』

愛とは相手をあるがままに受け入れること

新約聖書には聖パウロが書いた手紙だと言われている十三の手紙が含まれているが、その中の『コリントの信徒への手紙　一』の13章4節には次のような個所があって、それは「愛の定義」とされているものだ。

「愛は忍耐強い。愛は情け深い。ねたまない。愛は自慢せず、高ぶらない。礼を失せず、自分の利益を求めず、いらだたず、恨みを抱かない。不義を喜ばず、真実を喜ぶ。すべてを忍び、すべてを信じ、すべてを望み、すべてに耐える」

これは世界でもっとも精巧で強力で、明快な愛についての定義だから、最近はホテルで行なわれるキリスト教風の結婚式でさえ読まれることが多くなった。（中略）

もっとも驚くべきは、結びの部分で人間に命じられた愛の四つの姿である。それは愛は「すべてを忍び、すべてを信じ、すべてを望み、すべてに耐える」ものだ、と規定していることだ。

「すべてを忍び」の忍びには、ステゲイという原語が使われている。これは、「覆いかぶさって守る」という意味の言葉だ。鞘堂《さやどう》を造るという発想はギリシャ人にもあったから、この言葉はまさに「鞘堂を造って、古い壊れそうな建物（実は人）を壊さないようにする」ことである。説教したり、責めたりして、相手を改変させることではない。愛は相手をそのまま受け入れることなのである。

しかしそれでも多くの場合、相手は変わらない。信じ、望み続けてもうまくいかないことがある。その場合の最後の砦《とりで》は、「耐える」こと、すなわちヒュポメネイである。ヒュポメネイは、重荷の下に留まることである。覆いかぶさって守ってもだめだったら、今度は下から支え続けろというのだ。

これだけの凄まじい愛し方を、神は人間に要求した。ほんとうは裏表くらいで片づく精神力ではないのである。


『ただ一人の個性を創るために』

愛する人のために死ねるか

愛の定義を私はこういうふうに考える。

その人のために死ねるか、どうか、ということである。

子供がひとり燃える家の中に残されたとき、たいていの母親は、とめるものがなければ、火の中にとび込もうとする。それが愛である。動物的本能であろうと、それが愛である。

愛している男、あるいは女、のために死ねるかどうか。それは私たちにとってひとつの踏み絵だ。

『誰のために愛するか』

とことん信じて支持するのが夫婦の愛

　たとえばここに二組の夫婦がある。それぞれに、夫の方は能なしで、酒ぐせが悪いとしよう。一人の奥さんの方は、客の目の前で、裸踊りを始めたり、ぐうぐう寝てしまう夫について、しきりに言い訳をする。

「本当に、さんざんなところをお見せ致しまして……あなた！　いい加減にして下さい！　本当に申し訳ございませんわね。めったにこんなことないんでございますけれど……あなた！」

　聞いている方の客は、もともとはらはらしているところへ、さらに改めて夫人から夫のかわりに謝られたりすると、いっそう身の置きどころがなくなる。むしろそれよりも、もう一人の奥さんのように、夫と一緒にげらげら笑い、

「あーら、パパ眠ったの？　いい気持ちそうねえ。この人、本当に、天真爛漫《てんしんらんまん》でいい性

格なのよ。楽しそうなお酒でね。皆さまにはちょっと失礼しますけど、こうしてぐうぐう寝かして頂くからこそ、この人の活動力も出てきますの」

と言う方が、いあわせる人間もよほど気楽にいられるというものである。夫を批判することによって、夫を大成させた妻があるだろうか。夫は、ほめ、信頼し、少々他人がヒンシュクするくらい、無批判に支持するべきなのだ。それが、妻の妻たるところである。

『誰のために愛するか』

愛ほど腐りやすいものはない

「愛」ほど変質しやすいものはない。愛はその辺に転がしておけば、すぐ腐る。愛もまた状況の温暖なところでは、腐敗が一段と早く進むのだと思う。

『この悲しみの世に』

愛は憎しみの変型である

「僕のような人間はとうてい君をしあわせにできないんだ。僕はそれがわかっているから、辛いけれど、君から離れて行かなければならない」

こんなような言葉をきかされると、男ほど悪人でない女は、とまどってしまう。彼は自分が苦しいけれど遠ざかるというほど、私を愛してくれているんだわ。だけど、私は彼でいいのに。彼で充分だと思っているから、そんなに遠慮しないでほしいわ。

こういう善良な女性をダマす男は、きっと地獄に落ちるに違いない。しかし、女の方も女である。これらの科白《せりふ》はもう、つまり登録ずみで、

「俺はお前が嫌いだヨ」

ということなのである。ただ小嘘つきは女に多く、大嘘つきは男に多いので、女は、ついその言葉のテクニックにだまされる。

いったん、こういう間柄になったら、もうヨリを戻すということは不可能に近い。な

んとかなりませんか、と言われてもなんともならないと私は思う。

もしも、それほど彼が好きなら、つまり彼は自分と別れることを望んでいたのだから、彼のしあわせのために、自分は彼から遠ざかるべきだと私なら思うことにしよう。

しかし、これは公式だ。

コロシテヤル、と思うかもしれない。私たちは愛と憎しみが、このように表裏をなしていることを自覚せねばならぬ。愛は憎しみの変型である。愛が愛として存在するのは、自分が努力してそうなっているのではない。一瞬のうちに憎しみになるような情熱に、愛という、うつりやすい、それだけに貴重な形を与えたのは人間業《わざ》ではないようにさえ思う。

愛したのではない。私たちはそのとき、愛する能力を与えられたのである。


『誰のために愛するか』

無関心な人間は人を愛せない

無関心というのが一番恐ろしいことなんです。無関心だからなんでもできる。相手がどういう人なのか、どういう人生を生きて、どういうつらい思いをしたり、あるいは、恋をして幸せだったか。そういう関心がないから、連続殺人をして、虫けらのように殺しても平気なわけでしょう。

知るということが愛のはじめだとよく言いますけど、本当だと思いますね。関心を持つということ。関心がないと知ることがない。知ることがなければ愛に到達しない。だから、無関心というのが一番恐ろしいんですけど、いま実に世の中にあふれているのがまさに無関心ですね、他人はどうでもいいということになっている。

『愛に気づく生き方』

人生は原則としては、残酷なものだ。私たちは必ず死を約束させられており、勉強したくても貧困や病気のためにできない人、家族と別れて何年も出稼ぎに出るのを余儀なくさせられる人たち、なども、どれだけいるかわからない。国民健康保険とか生活保護などというものなど聞いたこともない人たちの方が、世界には多いのだ。しかしそういう人たちは、一方で日本人が失った一族・家族ができる限り不運を背負った人を家族ごと面倒を見るという温かい人間関係も残しているのだ。

人権では人間の尊厳は守れない。人間を人間たらしめるものは、制度的な保護を整えると同時に、我々がどれだけの愛を持てるか、ということにかかっている。その愛もおきれいごとでは達成できない。必ず死を約束された有限の生である人の生涯の苦しみを十分に知り、捨てたいと思うような相手でも理性で捨てることをせず、執拗《しつよう》な利己主義と戦いつつ得られる人間としての道を確立しなければならない。

その愛を教育は教えたか、ということだ。

『哀しさ優しさ香しさ』

恵むことができて初めて人間になれる

不運を抱える人に対して国家が助けるのも当然だが、大切なのは、個人の心の優しさだという点は忘れている。個人は、心からの同情、慈悲、現実に恵むことなどができて、初めて人間になる。しかし今の人たちは、「困った人は、国家に助けてもらったらいいんじゃないの？」と組織による救済を当てにする。慈悲の心の消失した、殺伐たる時代になったのである。

『人生の原則』

愛は人間の義務である

日本人の優しさは有り余るものを分けるという金持ち風の意識の上に成り立っている。水もお金もそうである。私たちは水道料のことなどあまり気にせずに、通りがかりの人がコップ一杯の水をくださいと言っても怒らないで与える。気の毒な人のための寄付に、余裕のあるお金の範囲で出すことを考える。

しかし砂漠ではそうではない。

水は家畜を養うなけなしの水だから、他人に分けたら一族の生活が成り立たない。

しかしそれにもかかわらず、たとえ敵対部族といえども庇護《ひご》を求めて来た場合、或いは旅人が一夜の宿を借りたいという場合には、少なくとも水とパンだけは、自分の食べる分を減らしてでも与えなければならないという義務を命じられている。

アラブの人々の多くはイスラム教徒だが、彼らにとっても私たちキリスト教徒にとっても、愛は情緒ではなく、本来は人間としての義務だという点で一致する。

日本人も時にはこうした厳しい自然の中で自分がどう振る舞うかを考えてみるのも大切なことだろう。

『幸せの才能』

「ほんとうに運の悪いことは重なるし、私たちがその節目に立ってしまうことだってあるのよ」

「こないだ女房と、その話したんだ。そしたら、女房が、私らは、運がいい方でも悪い方でもないと思う、中位だと思う、ってんだよ。だから、俺、言ってやったんだ。それなら、感謝しなきゃいけねえ、ってさ。中位ってのは文句言えた筋合いじゃないよ。周りを見たら、ほんとに運の悪い人ってのいるんだから。だけど、そういう運の悪い人には、どうしてやったらいいかね。世間には、改名したり、方角みたりすればいい、って人もいるけど」

「私はとても単純なの。その人が一時間でも、一日でも、楽しいようにしてあげるの」

「そらあ、いいなあ。楽しいと、力湧《わ》いて来るもんなあ。俺なんかうまい洋菓子食べて、おいしく入れた紅茶飲むと、とたんに幸せになっちゃう」


『天上の青』

人間の悲しさを知ることから愛が生まれる

私は一九七二年から、世界の貧しい国々で働く日本人の神父と修道女に活動資金を送る「海外邦人宣教者活動援助後援会」(通称JOMAS《ジョーマス》)というNGO(非政府組織)をなんとかやってきました。(中略)

献金してくださるのは、幸福を分かち合いたいという人、自分も不幸だけれど食べられない人はもっと悲しいだろうと思いやる人、戦争で辛い思いをおさせいたしましたから助けたいという人、それから、たとえば恋人だったアフリカの男性とは結婚できませんでしたが、彼の国がよくなるようにお金を出したい、という人。誰もが、それぞれにすばらしい。

惻隠《そくいん》の情から、いつもなけなしのお金を差し出すのは、貧しさが苦しいことを知っている庶民です。お金が集まらなくなれば、やめようと私はヒソカに思っていましたが、景気の良し悪しにかかわらず、ささやかな援助は決して止《や》むことはありませんでした。

『日本財団9年半の日々』

愛を発生させるのは、人間の悲しさを知ることだ。

『哀しさ優しさ香しさ』

大事なのは「見捨てない」ということ

〈一つ聞きたいことがある。ご主人夫妻は、この子がＨＩＶポジティヴだと知って養子

にしたのかな。それとも後で知ったのかな〉

〈養子にすると決めてすぐ後で知らされたんだ、って言ってました。生みの親は多分、この子が病気だと知ってたから捨てたんだろう、って言われましたって。なぜって、見つかった時にもううんと栄養状態が悪かったんですって。これでも少しは太ったんですけど、自分で立つ体力はまだないですね〉

〈こんな弱い子をもらうのに、ご主人たちは躊躇《ためら》わなかったんだろうか〉

〈ご主人夫婦は、病気だと知ったらなおさらもらうことに意味があるような気がして来たんですって。変なもんですね。この子の残された時間を幸福にできるかどうかは、自分たちの責任になったって思ったら、すばらしい張り合いが出てきたんですって〉

鳴滝《なるたき》はこうした美談には、素直に心がついていけなかった。

〈ご主人はどうでもいいけど、君はどうなの？　病気の子供の世話をしなければならないんなら、国へ帰りたいとは思わなかったの？〉

〈私はね、迷ったことはないわ〉

〈そう。どうして〉

〈だってこの子が、私を離さないんですもの。夜も、私のスカートのベルトを摑んで眠るのよ。朝、眼を覚ますと、まず私に抱かれたがるの。それにもうすぐこの子は死ぬんです。それがわかっていれば、誰だって私と同じことをすると思います〉

〈僕だったら逃げ出すかもしれない。病気が怖くて……〉

〈まさか。あなたもそんなことをするはずはないわ。だってそんなことをしたら……〉

〈逃げ出したらどうなんだ?〉

〈人間じゃなくなるじゃないの〉


『観月観世』


長男夫婦と住んでいれば、長男の嫁はずうっと責任を持って義母を見ているんですから、そんなに愛想よくもできないわけ。姑が何か言っても「そこにあるでしょ」なんて言うようになるのよ。

そこに、たまに次男の嫁が来て「お母様お元気でらっしゃいますか、この間お風邪の時心配いたしました」と言って、おいしいものを持って来て、三時間ぐらい愛想を振りまいて帰っていくわけでしょう。

ほんとに次男の嫁はよくできていて、と言うけど、次男の嫁は決してその親を引き受けないわけですよ。そういうことを見抜くだけの賢さは要りますね。一番大変なことをしているのは、その人を引き受けて捨てないということですからね、姑の場合でも、夫の場合でも。

『愛に気づく生き方』

失われた愛によって豊かになる人生もある

「人生は失われた愛によっていっそう豊かになった」

とラビンドラナート・タゴールは「迷える小鳥」の中で言っている。タゴールの言葉の中では、特に光っている部分でもない。しかしまだ十代の翔《しょう》はこの一節を初めて読んだ瞬間に、人間にとって意味があるのは、手に入れてしまった愛よりも、むしろ失った愛なのだろう、と納得したのである。恋や愛だけではない。それは失ったものすべてに対する哀惜の思いから出たものであった。喪失の悲しみを感じられる人生とは、何と生きるに値するのだろう。

『夢に殉ず』

愛とは、報いられても、られなくても持つ時に、初めて本物と言えるのである。

『心に迫るパウロの言葉』

「五月二十四日は亡妻五年目の日でございます。聖ラザロ村の方々のために、毎年、僅かな額でございますが、お届け申しあげさせて頂きます。おしつけがましくて申しわけございませんが。

亡妻はアジア留学生応援のバザールに参り、建物を出たところで暴走する乗用車に轢殺されました。その時、私は他の会合に出ていたために、間に合いませんでした。亡妻の私への三十年間の愛は、神がわがままな私に、亡妻を通して愛を教えつづけてくださったのだ、と気がつきました。今年、東京を遠く離れて、小さな町で教育の仕事を始めました」

もし神が、その妻の死によって一人の男に愛を教えたとしたら、それは何という過酷な教育であったのだろう。それは現世の如何《いか》なる教育法にもないほどの厳しさだが、愛というものは、決して甘いものではなく、ここに一つの運命として示されたように、しばしば血と痛みによってしか悟られないものなのかもしれない。そして神は、亡くなった夫人には完結したみごとな生涯を、残された夫には愛が十字架の死と同じほどの苦痛を伴ってこそ真実のものなのだ、という現実をメッセージとして送ったとしか思いようがない。

『神さま、それをお望みですか』

紛争や対立を解く「大人の愛」

ローマから少し北のほうに行ったウンブリア地方に、アッシジという古い村がありま す。そのアッシジに十二世紀、聖フランチェスコ（一一八一年〜一二二六年）という修道

僧がいました。この人が残した「平和を求める祈り」というものがあります。（中略）

私をあなたの平和の道具としてお使いください。
憎しみのあるところに愛を、
いさかいのあるところにゆるしを、
分裂のあるところに一致を、疑惑のあるところに信仰を、
誤っているところに真理を、絶望のあるところに希望を、
闇に光を、悲しみのあるところに喜びを、
もたらすものとしてください。
慰められるよりは慰めることを、
理解されるよりは理解することを、
愛されるよりは愛することを、私が求めますように。
なぜなら私が受けるのは与えることにおいてであり、
許されるのは許すことにおいてであり、

我々が永遠の命に生まれるのは死においてであるからです。

ここで言われているのは、悲しみのあるところに私たちが喜びを持っていけますように、もし二人がいさかいをしていたなら、私のほうから許すことができますように、私が愛されるのでなかったら愛することができますように、ということです。ここには大人の愛というものが如実に表されているのです。

この祈りは、ダイアナ妃のお葬式のときにも英国教会が歌いました。ご承知のように、英国教会とカトリックは長い間対立していましたが、それでもカトリックの修道僧であった聖フランチェスコの祈りを祈ったのです。それほどにこの祈りはあらゆる信仰、対立を超えたものであろうとしています。英国教会も、これこそが現代の紛争や対立や残酷さを解く鍵であるというふうに納得し、高く評価したからこそ、ダイアナ妃のお葬式に歌ったのでしょう。このことは、葬式のときにさえも、われわれ人間はひとつの真理に向かってある行動をとることができるということを示しているようでした。

『現代に生きる聖書』

第五章

幸せは凡庸の中にある

見た目と幸福感は一致しない

幸福の実感というものは厳密なものだ。他人が「あなたはお金に困っていないでしょう」「いい夫と秀才の息子もいるじゃないの」などと、いくら平均的幸福の条件を持っていることを保証してくれても、それが全く幸福とつながらない人は多い。その反対に他人からは、気の毒な生活に見えても、れっきとして満ち足りている人もいるのだ。

私はただ、そのことを言い続けて来た。

幸福になる道は、理不尽なものだ。自分自身で泥だらけになって探るほかはない。誰にも任せられず、誰もその方法を見つけて教えてくれはしない。その覚悟を持たず、身の回りの不幸を、政府や社会や他者のせいにして、怒り嘆いている限り、逆に幸福には到達できない、という筋道だけは、私には見えていたのである。

『辛口・幸福論』まえがき

幸福の意味は自分が決める

私たちが誰でも名前を知っているような実業家、宗教家、政治家、学者、芸術家たちの一生は、確かに重みのある生涯ではあったが、しみじみとその伝記を読んでみると、これは実に「惨憺《さんたん》たる幸福であったろう」という気がすることが多い。その人が、自ら弱音を吐かなかったとしても、振幅の大きい生涯ほど、その幸福も、傷の深い幸福になって来るような気がする。

ある大きな会社の社長が先頃亡くなった。私はその人を個人的に知らない。しかし少なくとも、その人は死ぬ直前まで、一分刻みのような忙しさに追われ、ライバル会社の悪意に遭い、株主総会でたたかい、社内の派閥にさまたげられて、その会社の資本金の大きさや、内外に名が轟《とどろ》いているという光栄や、日本経済を支える大きな部分をになっているという自覚などの晴れがましさとは別に、やはり常に私のいう「惨憺たる幸福」を味わわねばならなかったのではないかと思うのである。

幸福は主観の中にしかありえないという原則論が、この頃よく忘れられかかっている。世間が無責任に思い描く体裁のいい家庭、光栄ある生涯といったものが「客観的幸福」としてしばしば個人の生活の目標にされるが、「客観的幸福」などというものは、実はありえない概念である。(中略)

何でもすぐに間に合う時代だが、幸福の概念を創り出す力だけは、たった一人の孤独な作業によるのである。

『永遠の前の一瞬』

幸せは凡庸の中にある

少なくとも、私たちは仲の良い夫婦だが二人で生活の重苦しさに暗たんとしたことは何度でもあった。私はそのひとつ一つの場合を、明瞭に切り取って覚えている。

私は長い間、不眠症になり、その挙句に、夫に連れられて神経科のお医者さまのところへ行ったこともあった。私はものを喋れなくなっていた。何か言ったり説明したりしようとする前に、答えが十にも二十にも分裂し、その又裏が見えるように思えて、私は黙り込むのだった。

私は弱い妻であった。私はことに人間関係の重圧にすぐへこたれる。私は、夫も子供も捨ててどこかへ消えたいと思った。

しかし、そのとき、私は夫と息子に支えられ、最低のところ二人のためだけに、明るいのんきな女になっていなければならない、と考えた。偉くなくてもいい。平凡な女房であり、母であればいい。

私は数か年かかって、元へ戻った。私はときどき激しく泣いたが、その他はさけびも、暴れもしなかった。そして私は又、再び健康になった。友人の女医さんが、私に睡眠薬のかわりに飲みなさいと言って、甘い葡萄酒を持ってきてくれた。こういう親切な友人たちの好意に報いるためにも、私は平凡な状態に戻らなければならない。

私は元気になった。そこには他人にほめてもらえるような華々しい、英雄的な闘いがあった訳でもない。その結果が偉大なことだったというのでもない。しかし、息子は母親が元気になってほっとしている。夫は何も言わないが、私と一緒に酒を飲み、運動をしようとしてくれる。

私は再び凡庸こそ限りなく普遍的で美しいと思うのだ。


『誰のために愛するか』

人と同じことをしていては幸せになれない

人は人、自分は自分としてしか生きられない。それが人間の運命だろう。個別の人としてこの世に生を受けた以上、人間は一人一人違っていて当然だ。無理して違わせることはないが、遺伝子が違うのだから好みも違って当たり前であろう。

人がするから自分も同じようにする、ということを、私は息子に許さなかった。友達がマンガ本を読んでいるからボクも、という要求はいけない。友達が持っていて、自分にはないものもあるだろうが、友達は持っていなくて、自分には与えられているものもあるだろう。だから違いを言い立ててはいけない。

この認識を確立することだけが、人の幸福を左右するように思う。

『人生の原則』

自分の好みと「分」を知れば、あるがままに生きられる

六十歳の還暦記念に、私たちは同級生で慶州《キョンジュ》とソウルへ記念の旅行をした。私立学校に学び、幼稚園から大学までずっと一緒だった人たちは、何と十七年間も同級生だったのである。（中略）

その旅行の時、私は同じ六十歳の女性を改めて十何人かまとめて見たのだ。しわもしみも白髪もないわけではないが、皆、姿勢がよくて、何かしら仕事を続けている人も多い。

正直なところ学校時代には、私と同じように算数ができなかったり、居眠りばかりしていたり、成績だっていい人ばかりではなかった。しかし四十年たってみると、誰もが自分の好みをはっきりと持った人たちになっていた。

おみやげの買いものにしても、名所のパンフレットだけは買う人、食料品にだけ興味を示す人、陶器だけは見たいという人、それぞれに勝手なことをしているが、人の好み

を批判することもない。他人に強要したり、釣られたりする人もいない。

もう一つの特徴は、分を知って、お金でも体力でも時間でも、食事の量でも決めていることだった。食べ放題の焼肉屋に入っても、むだに欲張って取るようなこともない。

時が彼女たちを教育して、秀才ではなくても賢い女、私流に言うと実にほれぼれするような、含みのある柔らかいいい女に育てたのである。

『幸せの才能』

お金で得られる幸せもある

人間の幸福は、究極のところでは決してお金では完全に解決しない。人間を最終的に充たすものは、あらゆる矛盾に満ちた複雑な人間的な要素なのである。

しかしそれ以前に、お金で解決できる部分はある。

昔知人に、嫁が何にもしてくれない、と文句ばかり言っている女性がいた。中年を過ぎかけた頃から、その人は膝《ひざ》が悪くなって、外出するときには荷物の重さが身に応える、と言っていた。嫁は最近、自動車の免許を取った。それなのに、決して「お姑さま、お送りしましょうか」とは言わない、というのが、不満の原因なのである。

私からみると、お嫁さんは家庭教師のようなことをしていて、専業主婦とは言いがたい。結構忙しいのである。だから姑の外出の時間に合わせて、自家用車の運転手を務めるということもなかなかできない。一方、姑はかなり倹約家で、少々の小金もある人なのに、膝が痛くて荷物が持てないのならタクシーに乗るということを決してしない。

外出の時、いささかのお金を払って、いつでも誰でも頼めるタクシーに乗りさえすれば、痛みに耐えたり、そのために気持ちの平静を失うこともなくて済む。その結果、家族が対立して憎しみの心を持つこともなく、楽しいことだけに心を使っていられる。こんな方法があるとは、何とありがたいことだろう、と思えばいいのに、この一家は不満だらけである。（中略）

人間の弱さを認識すれば、弱さを補強してやる幾つかの手段を考えておくことも謙虚な方法である。健康もお金もその一つの道具であることはまちがいない。そのための経済的独立を考えない人は思い上がっている。義務も怠っている。そして結果的には、決して自由になれないのである。

『魂の自由人』

得をしようと思わない

お金の問題はやはり低い次元の話である。しかし低い次元の部分には却《かえ》って単純明快なルールを自分で作っておかないと、心が腐ってくる。

得をしようと思わない、それだけでもう九十五パーセント自由でいられることを、私は発見したのである。

『悲しくて明るい場所』

最近、私の周囲を見回すと、実にもらうことに平気な人が多くなった。「もらえば得じゃない」とか「もらわなきゃ損よ」とか、そういう言葉をよく聞くようになったのである。「介護もどんどん受けたらいいじゃないの。介護保険料を払ってるんだから、もらわなきゃ損よ」とはっきり言う。

受ける介護のランクを決める時には、できるだけ弱々しく、考えも混乱しているように装った方がいいとか、そういう哀しい知恵だけはどんどん発達する。

昔、少なくとも明治生まれの母たちの世代には、もう少し別の美学があった。その当時の人々は、今の高校二年生までに当たる女学校を出ていれば高い教育を受けた方であった。師範学校とか、戦前の大学を出ている女性などというのは、ほんとうの少数派であった。今の人たちに比べると、教育の程度はずいぶん低かったのである。

しかし精神の浅ましさはなかった。遠慮という言葉で表される自分の分を守る精神もあったし、受ければ、感謝やお返しをする気分がまず生まれた。


『人間にとって成熟とは何か』

「もっとほしい」という欲望が不幸を招く

乞食根性は誰にでもある。それは或る意味では自然なものである。しかしそれが一つだけ困る点がある。
　それは人間はひとからもらう立場にいる限り、決して満足することもなく、幸福にもなれない、という現実である。人間は病人であろうが、子供であろうが、老人であろうが、他人に与える立場になったとき、初めて充ち足りる。老人の不幸は、「してもらえない」「くれ方が足りない」ということばかりである。老人ばかりでない。世の中の不幸の殆《ほと》んどは、こういう物の考え方から生まれるのである。

『絶望からの出発』

人に何かを与えることが幸福の秘訣

　一人の老女の葬式に立ち会ったことがある。悪い人ではなかったのだが、小心で自分の保身しか考えたことのない人であった。金銭も物も労力も、もらうことばかり考えていて、彼女は与えることをほとんど知らなかった。つまり彼女は、出入りの商人からもらった宣伝用の安タオルが何本溜《た》まろうと、それすら老人ホームで世話になる人に「お使いなさい」とは言わない人だった。新しいタオルは黄ばんだまま何本も彼女の遺品の中に残されていた。それ以上に彼女が人に与えなかったのは感謝であった。彼女の会話と言えば、不満を訴えることだけだった。

出棺の時、その人の娘が、泣きながら棺に取りすがって切れぎれに言った。

「お母さん、今度生まれ変わる時は、人に尽くせる人になって、もっと楽しく暮らすのよ」

それは悲痛な叫びであった。しかし私は、この老女も娘に一つの教えを残して行ったような気がしてならなかった。つまり愛すること、尽くすこと、与えることこそ幸福の実感なのだ、ということであった。こういう親の例がなければ、賢い娘でも、これほどはっきり認識しなかったのではないかと思えたのである。

『二十一世紀への手紙』

幸福の秘訣は、受けて与えることだ、と私は知っている。私たちは受けることの方が多いが、何か少しでもできることを他者に「して差し上げる」生活をすることが私たちを幸福にする。

『酔狂に生きる』

どんな境遇にあっても、他人のために生きることはできる

どこで聞いた話か読んだ話か思い出せないのだが、体の不自由な老女が、毎夜、道に面した窓の傍《そば》に、あかりを置いて、じっと坐《すわ》っているという話が私の記憶の中にある。それは、そこを通りかかる旅人のためであった。長い道のりを暗闇《くらやみ》の中を歩いてくる人を迎える灯《ひ》であった。自然の威圧の中に、小さなあかりが見える時、旅人はほっと人間の優しさを感じるのである。

人間の存在が、灯になり得るということである。他には何の働きもできぬ老女でも、他人にただ光を与えることによって、彼女自身も他人のために生きるという人間の本質を維持し、しかもそのことによって、幸福を味わうことができるのである。

『完本 戒老録』

身の程をわきまえた暮らし方とは

これまでに何度か海外へ団体旅行をしたことがありますが、高齢者でも人それぞれなのがおもしろい。自分の飲み水を他人に持たせる年寄りもいますし、同行者が見るに見かねて「お持ちしましょう」と言うのを、半ば当てにして買い物を増やす年寄りもいます。

そうかと思うと、ある女性は、今の私のように足が悪くて、重いものを持つことができない。それで、小さなバッグを一つ肩からかけて、お土産にスカーフ一枚とネクタイ一本を買い、そのバッグに収めたとおっしゃる。「身の程」というものを知って、物質と付き合っている賢い方だなと思いました。私は、「次に買われるのは、ダイヤがいいんじゃないですか。軽くて嵩張《かさば》りませんから」と言っておいたんですけれど。

『老いの才覚』

明治生まれの私の父母たちは、自分でつましい生活をして貯金をし、老後に備えることを常識とした。借金をしなければ買えないものはお金を貯えてから買いなさい、と私たちは教えられたのである。ローンを作れば何でも買える。借金を残せば相続税も安くなる、などという悪知恵を教えたのは誰なのか。まともな銀行が、サラリーマン金融の事務所に軒先を貸すという現実を、私は初め信じられなかった。「高利貸しをするのも利用するのも、恥ずかしいことです」と私たちの素朴な親は教えた。もっとも子供の私は「高利貸し」を「氷菓子」だと思っていて、何のことだかよくわからなかったのだが……。（中略）

人が持っていても、自分にはぜいたくだと思ったら持たない自立精神はどこへ行ったのだろう。経済については、最悪の状態を常に想定する。財布は人に頼らない。こんな素朴なことは、昔、小学校にさえろくに通えなかった人たちでもわかっていた平衡感覚なのだ。

『安心したがる人々』

モノがあふれていると精神が病む

心配とか恐怖とかいうものは、人間が不必要なものをたくさん所有している時に起こるものなのだということを、私は知りました。これは、私にとってはすばらしい発見でした。

『時の止まった赤ん坊』

平和で食料も十分にあるこの日本の生活を、幸福と実感できない日本人がたくさんいて、多かれ少なかれ鬱に苦しんでいるということは、不幸なことだと思う。

私も若いとき、二度にわたって長い不眠症と鬱の時代を過ごしたが、三十代のときは、まだ力もないのに多作を強いられたからだった。他人が悪いのではない。引き受けた自分が悪いのだが、作家には苛酷な時期を経過しなければプロになれないという現実もある。

五十歳直前のときは、視力の危機だった。中心性網膜炎が両眼に出た結果、生まれつきの強度近視の眼で若年性白内障の手術を受けなければならなくなった。運が悪ければ手術をしても執筆生活は不可能になるかもしれないとなったとき、私は鬱になった。

しかし現実の生活は私の内面とは別に、どんどん進んで行く。肉体的な能力が衰えていたにもかかわらず、私は一見元気に振る舞っていたので、前から約束していたトルコへの調査旅行に出ることにしたのであった。(中略)

私たちはイスタンブールに着き、そのまま約四百キロの道をアンカラに向かった。今はすっかり様変わりしているだろうが、当時のこの幹線道路はドライブインもなく、道もところどころ未舗装で、夕方六時ごろには着くという予定はどんどん狂った。途中で食事をする場所もなかった。私たちは手持ちのお菓子などを分け合って飢えをしのいだ。

夕暮れの中で私はある感動にとらえられた。六本の連載をすべて休載してから初めて、私はその数時間だけ死ぬことを忘れていた。私はいつ夕食を食べられるだろうかということだけを考えていたのだ。それは「欠落」によって得た輝くような生の実感だった。

鬱には断食がいいだろう、と私は今でも思っている。日本では、安全が普通で危険は例外だと思っていられる。飽食はあっても飢餓がない。押し入れは物でいっぱいで、部屋にあふれた品物が人間の精神をむしばむ。
もちろん世の中には、お金も家もなくて苦労している人がいるが、それより数において多くの人が、衣食住がとにかく満たされているが故に苦しんでいる。
人間の生活は、物質的な満足だけでは、決して健全になれない。むしろ与えられていない苦労や不足が、たとえようもない健全さを生むこともある。このからくりをもう少し正確に認識しないといけない。

『自分の財産』

あるものだけを数えて生きる

生きる人の姿勢には大きく分けて二つの生き方がある、と私はよく思うのである。得られなかったものや失ったものだけを数えて落ち込んでいる人と、得られなくても文句は言えないのに幸いにももらったものを大切に数え上げている人と、である。

『地球の片隅の物語』

この世で思い通りの生を生きた人はいないのだ。それを思えば、日本人の九十九パーセントまでは、実生活において人間らしくあしらわれている。水道や電気の恩恵に浴し、今晩食べるもののない人も例外的にしかいない。医療機関に到達できずに痛みに耐えている人もいないし、子供を通わす学校がないという人もいない。

それらはすべて、世界中の人が当然受けているものではないのである。世界には常に政治的な難民と呼ばれる人や、日本人と比較しようもないほどの動物のようなみじめさの中で暮らす貧民がいる。彼らと比べると、総じて日本人は人間として最低条件が整った生活をして生きて来た。もって瞑《めい》すべし、と私はいつも思う。

ほんとうは社会の不平等や、親子の不仲や、友の裏切りは、人間としての人生の許容範囲の中にある。事故や事件で命を失うことは許容の範囲とは言えないかもしれないが、潜在的可能性の中にはある。「ないものを数えずに、あるもの（受けているもの）を数えなさい」という言葉がある。私はこの姿勢が好きだ。この知恵に満ちた姿勢でてきめん幸せになるからだ。

マダガスカルのシスター・遠藤が働いているアベ・マリア産院に、日本製の保育器を寄付した時のことであった。産院で働いている一人の子持ちの未亡人が、中に保育器が入って送られて来た大きなダンボールの箱を後でどうするのか、しつこくシスターに聞いたというのである。

実は彼女はその箱をもらう約束を取りつけようと必死だったのである。シスターは、中のこまごました部品が完全に取り出されたかどうかゆっくり点検した後であげます、と言っていたのだが、彼女は人にとられてしまうのを恐れたのか、一日も早く箱を欲しい、としきりに頼んだ。

その箱の用途について、シスターもはっきりしたイメージを持っていなかった。家具などほとんどないのだろうから、子供たちの衣類でも入れておくために欲しいのかもしれない、と想像する程度であった。しかしその女性に聞いてみると、状態は決してそんな余裕のあるものではなかった。

彼女の家の屋根は、もはやその機能を果たしていなかった。雨の日には、子供たちは床の上を流れる雨水の中で寝ている。この貧しい母は、せめて日本製の立派なダンボールの箱を拡げて子供たちの上を覆えば、少しは雨がかからないようになるだろう、と考えたのであった。

『神さま、それをお望みですか』

不幸を知らないと幸せの味もわからない

基本的、原始的不幸——つまり今日の衣食住を確保されていない不幸——を体験したことのないすべての人は、我々をも含めて、基本的、原始的幸福を発見する技術をもまた見失っているのである。それは「正しいことの反対もまた正しい」とか「正しくないことの反対もまた正しくないことがある」という論理とよく似ていた。つまり今晩食べるものがあるということだけで、どれだけ幸福か。今夜、乾いた寝床で寝られるということだけでどれだけの大きな幸せか、を考えたこともない人は、やはりそれなりに幸福を知らないのである。

『中年以後』

人は自分が手にしていないものの価値だけ理解する。皮肉なものである。

『人生の収穫』

「喜べること」は立派な才能

聖書の中に「喜べ！」という記述があります。これは、人生に対する命令です。聖パウロは、「喜びを見つけること」が、私たちがほんものの幸福を手にすることのできる第一の鍵だと言います。

以前、皇后さまとその話題になった時、そうすることがどんなに難しいことでしょう、とおっしゃいました。私は驚くと同時に、非常にうれしかったのを覚えています。

どんな時も喜びなさい、と言われても、なかなか喜べるものではありません。しかしパウロは、自分の意志によって喜びなさいと言うのです。
たとえば、これまで自分が生きてこられたのはだれのおかげで、どういう幸運のもとにあるのかを考えてみる。不景気の中にあっても、砲弾が飛んでこない。テロの危険もない。電気と水道がきちんと供給されている。今晩、食べるものがある、と喜ぶ。これは、一つの才能だと言っていいかもしれません。

『老いの才覚』

何事も「ほどほど」がいい

「ほどほどの」という形容詞がつく状態ほど、愛や許しを思わせるものはない。ほどほどの自信、ほどほどの貧乏或いは豊かさ、ほどほどの挫折感、ほどほどの誠実、ほどほどの安定、ほどほどの嘘、ほどほどの悲しみ、ほどほどの嫌気、ほどほどの期待または諦め……すべて人間を深く、陰りのある、いい味と香のする存在にする。そのような人は、人間の分際を知った判断をするからである。

『近ごろ好きな言葉』

欅《けやき》が二人を裏切ったとすれば、それは落ち葉の量の多さだった。秋になると、小萩《こはぎ》の仕事は落ち葉を集めることに費やされたが、庭の傾斜においた小さな石組みがその作業を更に困難なものにした。

「まっ平な所なら、仕事も簡単なのにね」

友衛《ともえ》は手伝いをしない自分を弁解するように言った。

「そんなことないわよ。完全に取ろうとすれば大変だけど、葉が落ち尽くすまでは、いつもざっと掃いてるだけだから」

「ざっとね」

「ざっとがいいのよ、生きるのに楽なの」

庭に出る度に、よくこの妻の言葉を思い出す。

『アバノの再会』

年を取って初めてわかる幸せ

息子が東大に落ちたという結果に、こんなにもほっとしている母親は世間に数少ないだろう、と香葉子《かよこ》は思った。今まで香葉子が直面して来たような不思議な地獄を覗くと、もう息子が一流大学に入るかどうかなどということは問題でなくなる。人が生きる上で幸福だと言えるのは、ささやかな心のつながりが感じられ、いつでも休息できる場所を持つことだけなのだ。それと、若い時から執拗な病気の苦しみには遭わずに済めば、こんな幸運はない。それがわかることが、年を取ることのよさであった。

『寂しさの極みの地』

出すぎたことをしなければ悶着は起きない

世の中は多くの場合、何事も起こらないものであった。翌朝の連絡の時にも、二宮芳《にのみやよし》枝《え》はきわめて順調だと報告されたので、貞春《さだはる》はそれ以上のことは「放念」することにした。

「放念」というのも、貞春の好きな言葉であった。多くの場合、人間が己れの分際を心得て、自分の守備範囲を守っていさえすれば、大して悶着《もんちゃく》は起きない、ということは多いのである。

『神の汚れた手』

諦めることも幸せの必要条件

私はこの世のことに諦めだけはいいほうだと思っています。深い思想があってのことではありません。ただ、この世はそもそも思い通りにならないものだと思い込んでいますので、深追いをしない、とか、効率が悪いものをいつまでもおっかけていてはいけない、とか、時が望まないものは頑張ってみてもだめだ、などと思うのがうまいのです。

『聖書の中の友情論』

目的は常に一つくらいしか叶えられない。一番大切なことから果たして行って、後は捨てることである。

『狂王ヘロデ』

諦めはどんな場合にも有効な解決法だ。自分の命にせよ、不運にせよ、最初から少し諦めていれば、深く絶望したり恨んだりすることもない。絶望したり恨んだりするということは、まだ相手や自分の置かれた状況の改善に、かなり期待していたという証拠なのである。

『人間関係』

努力と結果が結びつかないところに救いがある

考えてみれば、運命に流される、ということが私にとっては非常に重大なことであった。それは努力して運命の流れに逆らうという一見正反対の姿勢と、ほとんど同じくらいの重さで人生にかかわっている。そしてこの二つの行為は決して矛盾してはいない。
もし自分の努力が必ず実る、ということになったら、人生は恐ろしく薄っぺらなものになるだろう。うまく行ったら、私は途方もなく思い上がり、失敗したらまさに破滅しそうなほど自分を責めるかもしれない。努力と結果が結びつかない、というところに、救いがあるのだし、言い訳もなりたつのである。因果関係は必ずしもはっきりはしない、というところで、世界はようやくふくよかなものになったのだ。

『魂の自由人』

感謝することが多い人ほど幸せになる

感謝は現実問題として、若い世代ではあまり身につかないものなのである。若い時には、自分に与えられた好意や幸運を、なかなか正当に評価することができない。よい結果が出たのは自分の素質や努力の結果だと思いがちなのである。それでいいのであろう。

そのような気負いがなければ、人間の才能は伸びないものかもしれない。
しかし次第に人生が見えてくると、人間が自分でなしうるのは、多くの場合与えられた偶然に乗っかっての結果だということがわかってくる。すると、「あふれるほどの感謝」というものが、ごく自然にできるようになる。
老年ばかりでなく、人間の一生が幸せかどうかを決められる最大のものは、感謝ができるかどうかだと思うことはある。不幸な人は、その人の周囲の状況が悪いから不幸になっているのではない。自分が現在程度にでも生かしてもらっているのは、誰のおかげか考えられなくなっているから、不満の塊になって不幸になっているのである。

『心に迫るパウロの言葉』

感謝こそは、最後に残された高貴な人間の魂の表現である。そして感謝すべきことの一つもない人生はない。誰の力でここまで生かされてきたかを思えば、誰かに何かを感謝できると思う。

『完本 戒老録』

さぞかし昔美人だったろうと思われる人でも、年を取れば外見は醜くもなる。しかし年を超えて見事だと思う人がいるが、それは与えられているものに対して感謝できる人である。その才能は、その人の受けた教育とも、もって生まれた頭脳とも関係ない。ましてや、その人の運とか経済的な豊かさとも全く無関係である。それはただ、その人の心ののびやかさとだけ関係があるのである。（中略）

考えてみると、「感謝の人」というのは、最高の姿である。「感謝の人」の中にはあらゆるかぐわしい要素がこめられている。謙虚さ、寛大さ、明るさ、優しさ、楽しさ、のびやかさ。だから「感謝の人」のまわりには、また人が集まる。「文句の人」からは自然に人が遠のくのと対照的である。

『心に迫るパウロの言葉』

第六章

一度きりの人生をおもしろく生きる

「成功した人生」とは何か

俗に言う「成功した人生」を送れるようになるために、私たちは自分や子供を教育する。しかし実際には「成功した」という言葉そのものが曖昧なので、私たちは論点を間違えてしまうことさえある。

たとえば、総理大臣になることが「成功した人生」だと規定するなら、私は全くこの手の「成功法」を知らない。それは特殊な道だから、多分、大臣や代議士の秘書になって、ノウハウを取って来るしかないのだろう、と思う。

しかし私の考える「成功した人生」は、次の二つのことによって可能である。

一つは生きがいの発見であり、もう一つは自分以外の人間ではなかなか自分の代替えが利かない、という人生でのささやかな地点を見つけることである。言うまでもなく、この二つはそれぞれに補い合っているもので、完全に二つに分けることはできない。しかしなぜ二つを必要としたかというと、必ずしも自分がそこで必要とされたり、その道の熟練者でなくても、一つのことに深い興味を持ち、それに係《かか》わっていることが楽しくてたまらない、ということはよくあるからである。

『二十一世紀への手紙』

職業は好きでなければならない。これが唯一、最大、第一にして最後の条件である。

『人びとの中の私』

他人のことが気にならなくなる唯一の方法

勝気で、他人が少しでも自分より秀でていることを許せない人は、自分の足場を持たない人である。だからいちいち自分と他人を比べて、少しでも相手の優位を認めない、という頑《かたく》なな姿勢を取ることになる。

人間は誰でも、自分の専門の分野を持つことである。小さなことでいい。自分はそれによって、社会に貢献できるという実感と自信と楽しさを持つことだ。

そうすれば、不正確で取るに足らない人間社会の順位など、気にならなくなる。威張ることもしなくなるし、完全な平等などという幼稚な要求を本気になって口にすることもなくなる。

『二十一世紀への手紙』

「仕事が道楽にならなければいけない」と言うと、「それは経済的に余裕のある人のことでしょう」などと月並みな返事が返ってくることがあって、私はうんざりする。そうではないのである。仕事が道楽になった時、初めて、その人はその道で第一人者に近くなれるのである。

道楽は、初めから楽をすることではない。総ての道楽は（たとえば盆栽一つをとってみても）苦労がないことはないのだが、その苦労を楽しみと感じられるように変質させ得るのが、道楽なのである。

『人びとの中の私』

要は人間は、自分の得意で好きなことをするのが成功と幸福に繋がる。これは単純な原理だ。

まず自分の得意なものを発見すること。

次にそれを一生かかってし続けること。

この二つの行程に必要なのは、持続力といささかの勇気だけである。いささかの、と付け加えたのは、別に敵の陣営に忍び込むほどの、命をかけた勇気でなくて済むからだ。ただ人に少し嫌味を言われたり侮蔑を受けたり、金銭的な不遇時代を堪え忍ぶだけだ。

しかしそれも好きなことをしているのだからそんなに辛いわけがない。


『人生の収穫』

人間の基本は働くこと

どんな小さなことでもいい。自分の選択と責任において、背伸びしなければ、自分のできそうな仕事に就くことは、多くの場合可能である。私が子供の時から親しんで来た聖書には「働きたくない者は食べてはならない」とある。「キリスト教は冷たいんですね」と言う人がいるが、病気や障害で「働けない人」にまで働かないなら食べてはならない、と言っているのではないのだ。「働きたくない人」が食べてはならない、というのは当然のことだと私は思っている。

どこの途上国でも、人々は文字通り背を曲げて一生懸命働いて暮らしている。食事が悪いのに労働がきついので痩せ細り、結核患者が今でも多い国もある。農民や、人力車夫などの痩せ方を見ていると、気の毒でならない。

日本で、雨の漏らないお湯の出る家に暮らす親たちは、ひきこもりの成人した息子がうちでごろごろしていても、どうやら食べさせるくらいのことならできるのである。だから若者の方でも、働かなくても飢え死にすることはない、と甘く考えている。

しかし人が生きるということは、働いて暮らすことなのだ。中国やソ連など、社会主義の思想の強かった国では、自分で仕事を選ぶこともできなかった。党や国家が決めたのだ。しかし日本では、何とか頑張れば自分が好きな職業に就ける場合が多い。幸せなことだ。

『人生の原則』

昔から、人間の最も基本的な（原始的なと言うべきかもしれない）生活態度は自ら自分に必要なものを取ってくることであり、次に弱いものに与えることであった。幼児に食物を与えることは、種族保存のために必要な行為であり、一人前の成熟した人間は、自分のためには自分で働き、同時に弱いものにはさまざまなものを与えたのである。

『完本　戒老録』

なぜ結婚できない大人が増えたのか

日本人男性の既婚率は、収入によって差が出ているという。年収三百万円がそのラインで、女性の方の収入は、全く問題になっていないので首を傾《かし》げた。

日本の女性は、いつのころから「お妾《めかけ》さん根性」になったのかと思う。結婚を就職の代わりと考えているのだとしたら、あまりにも幻滅で、男性にも気の毒だ。好きな人と暮らすためなら、いっしょに働いて何とか生きていきましょう、と言うのが当然だと私はずっと思ってきた。女性も学校を出たら、当然自分で生活を成り立たせる態勢を取るのが当然だ。二人で働けば何とか食べられるというのが普通である。(中略)

一応の健康を維持している人なら、国家にも親にも、依存しないで生きるのが人間というものだ。「結婚に対する個人の希望を実現できる社会に向け、若者に対する就労支援が求められる」という言葉は、政府の「子ども・子育て白書」からの引用らしいが、ここでも依頼心の強い若者にへつらうような政府の姿勢が見えて、極めて非教育的だ。それにこのことを報じる女性記者の記事に、「女性側はいったい、なにを考えているのか」という視点が見えないのも奇妙な話だった。

『自分の財産』

成功のたった一つの鍵は「忍耐」である

世の中で、それさえ持っていれば好きなものが手に入るというのが「打出《うちで》の小槌《こづち》」だというのだが、その魔法の小槌を私たちは買うことができない。

何かそれに代わる確実なものはないか、と探した場合、誰にでも手に入るものがある。それが忍耐なのである。

考えてみれば、忍耐というのは、まことに奥の深い言葉だ。人間はすぐには希望するものが手に入らないことが多い。機運が来ないことも、自分自身が病気に見舞われることもある。自分自身は健康でも、家族が倒れてその面倒を見なければならない時もある。

しかし忍耐さえ続けば、人は必ずそれなりの成功を収める。金は幸せのすべてではないが、財産もまた大きな投機や投資でできるものではないということを、私は長い間人生を眺めさせてもらって知った。その代わり、成功のたった一つの鍵は、忍耐なのである。

犯罪を犯す人たちに欠けているのは、才能でも学歴でもなく、忍耐なのだということは、最近の事件の度によくわかる。つまり仕事が長続きしない人たちが、世間を騒がすような事件を起こすのである。

小説家の仕事も忍耐そのものである。数千枚の作品でも、一字一字、毎日書いて行く。

料理人も、竹籠《たけかご》を編む職人も、コンクリートを打設《だせつ》する人も、農業に従事する人も、すべてが忍耐を基本にしている。

しかし忍耐が一番必要なのは、人を愛する心を示す時だ。相手を大切に思うなら、その人の行動にじっと耐えて、決して見捨てないことなのである。

実に忍耐は、人間の最高の徳を裏から支える強さである。だからとにかく忍耐のできる子供を育てた親や教師は、まちがいなく教育に成功したのである。

『幸せの才能』

苦しみの中にこそ、人間を育てる要素がある

誰もが苦しみに耐えて、希望に到達する。努力に耐え、失敗に耐え、屈辱に耐えてこそ、目標に到達できるのだ、と教えられた。誰も苦しみになど耐えたくない。順調に日々を送りたい。しかし人生というものは、決してそうはいかないものなのだ。さらに

皮肉なことに、人生で避けたい苦しみの中にこそ、その人間を育てる要素もある。人を創るのは幸福でもあるが、不幸でもあるのだ。

しかし現代は不幸の価値は認めない。だから苦しみが必要な仕事は避け、努力が要るものは学ばなくなった。少なくとも昔に比べると、プロの比率が減り、アマばかりになった。「昔はいた」という仕事師が、皆無ではないにしても、ぐんと減ったのである。

『人生の原則』

「人並み」を追い求めると不幸になる

人並みなことをしていては、人並みかそれ以下にしかならない。もちろんそれでよければ、努力などという野暮《やぼ》なこともしない自由も残されている。しかしその場合には運命に不平を言わないことだ。それだけの努力しかしなかったのだから、それだけの結果しかもらえなかったのだ。日本は公平な国なのである。

『ただ一人の個性を創るために』

どのような人間にとっても最大の肥料であり、財産であるのは、与えられた環境というものである。父親が大酒飲みで、母親は男ぐせが悪く、先生からは貧乏人の子と蔑《さげす》まれる、という環境は、確かにその子にとって望ましいものではない。彼に言わせれば、せめて人並みな暮しをしてみたい、と言うであろう。しかし彼が「人並み」な父と母を持った時、彼は彼だけにしか与えられなかった特殊な強烈な教育的刺激を失うのである。「人並み」という概念は、実ははなはだ曖昧なものである。何を以て人並みとするのか。人並みであれば、何をしても許されるのか。

一九七三年から、七四年にかけての一時期に、私達は人並みであれば許されるという卑怯な言い方をどれだけ使ったことか。隣の奥さんもトイレットペーパーを買い溜めした。だから私も買ったのだ。どこが悪いの、という判断である。世の中には誰がしなくてもすべきことがあり、誰もがしてもするべきではないこともある。人並みになることを追求する、ということは個人の尊厳の放棄である。

『絶望からの出発』

人は結婚することによって得るものもあるが、失うものもあるのだ。結婚しないとわからない人生もあるだろうが、一人でいることによって得る広々とした生涯もあるはずである。手にしていない人生を「人並みな形を基準に羨《うらや》むことはない」と私は思っている。

『自分の財産』

選択する力がない人は危険である

人でもものでも、自分に選択の力がないとおもしろい生涯は送れない。考えてみると、人生で「好み」を持つということは実に大切だ。他人の評判を気にしている人は、自分の好みではなく、あてがいぶちの人生を生きることになる。したいことがない人ほど、つまらなく、危険な存在はない。彼らはたやすく他人に動かされて、モブ（暴徒）になる素質を持っているからだ。

『人間関係』

「私ね、このごろ思うんだけど、愚かさでも、執念でも、誠実でも、悪意でも、何でもいいから、できるだけ濃厚にやり遂げることなのね。そうすれば死ぬ時、納得がいくような気がする。はた目を気にして、自分のしたいことをしないでいると、死ぬ時、誰かを恨みそうな気がするの」

「そうですね。私も子供の頃の生活を恨んでました。だからそれを持ち越すと、一生陰惨な思いでいることになるでしょう？　私、それがいやだったんです。ですから、その場その場で一番したいと思うことをすることにしたんです」

『燃えさかる薪』

人間の精神は、時々刻々、選択という操作をしているわけで、その一番くだらないものは、昼ご飯に何を食べようか、というようなことなのだが、もっと複雑な内面のことまで、時には苦しい選択を迫られるものなのである。選択は、人間精神の勇気の証である。

『正義は胡乱』

何かを捨てなければ、得ることはできない

「家内は、私より八歳年上で、私たちが会った時、もう四十歳をちょっと超えていました。私は初婚だったんですけど、三十半ばになりかけていましたし、誰とどういう結婚をしたってよかったんですけど、家内と結婚するということは、たった一つ子供を諦めることでしてね」

「そのことを、奥様とは何もお話しにならずにですか？」

「よくよく話しました。家内は再婚だったんですが、そのことを後悔するようだったら、自分と結婚しない方がいい、と何度も言ったんです。でも僕はよく考えて、別に自分の子供は持たなくてもいい、と考えたんです。

家内は信仰の厚い人ですから、僕と結婚しなくても、穏やかな生活を保って行けると は思いましたが、僕といる方が幸せだと言ったんで、僕はそれを信じることにしたんです」

大槻《おおつき》さんはそれ以上は言われませんでした。しかしその短い表現の中に、私は人間の選択というものの重さを考えていました。人間はいつだって、何か一つを捨てなければ、一つを得られないのです。

『ブリューゲルの家族』

話のおもしろい人は、人より多くの苦労をしている

困難の中に楽しさもおもしろさもあるという単純なことさえ、平凡な暮らしを望み続ければ理解することができない。用心深いと言うより、小心な人の生涯は、穏やかだという特徴はあるが、それ以上に語る世界を持たないことになる。だから多分、そういう人は、他人と会話をしていてもつまらないだろう。語るべき失敗も、人並み以上のおもしろい体験もないからである。話のおもしろい人というのは、誰もがその分だけ、経済的、時間的に、苦労や危険負担をしている。人生というのは、正直なものだ。

『人間にとって成熟とは何か』

私の実感によると、人生のおもしろさは、そのために払った犠牲や危険と、かなり正確に比例している。冒険しないでおもしろい人生はない、と言ってもいい。

『人生の収穫』

他人の評価にすがる人は永遠に満たされない

日本人は他の多くの国に比べて、青年たちが自分の職業を自由に選択できる方途を持ちながら、多くの当事者たちはそのことに納得もしていなければ満足もしていない、という奇妙な国である。

どうしてそのようなことになるのだろう。

一つには、私は日本人は、自分の人生に夢を描きすぎるのだと思う。「青年よ、大志を抱け」というのは悪くないが、大風呂敷を拡げすぎれば満たされない不満ばかりが残る。どんな学者も、芸術家も、実業家も、一生にできる仕事の量は限られている。小さく守って、そこを充実させることの方が私は好きである。

二番目には、日本人は、宗教を持たないからだろう、と思われる。パン屋の職人は、一生おいしいパンを焼き続けて、人びとに、実に多くのしあわせを与える。そのことを感謝し評価する人があろうがなかろうが、神の存在を信じていられれば、その人は、胸を張って死ぬことができる。しかし神の存在のない人にとっては、パン屋より、大臣になる方が、はるかに体裁よく、虚栄心を満足させられる、ということになるのである。

つまり、日本人の人生や職業に対する評価は、自分が満たされるかどうかより、他人がそれをどう思うかで決められる場合が多いから、一向に自足しないのである。

『人びとの中の私』

私たちが、カトリックの学校から受けた影響は、年と共に深くなっているようでもある。何であろうと、その時々に個人が神から与えられた仕事を果たすという意識である。

誰もがこの世で二つとない任務を命じられている。その人の得意な面、おかれた環境によって、神は一人一人に仕事を命じる。任命書は上役を通して渡されるのではなく、日々、神から直接密《ひそ》かに伝えられている。この密かな使命を果たしていくと、神がその仕事ぶりをじっと見つめておられる、という感覚もできる。

神の視線を感じると、他人の仕事を不当に羨むこともなく、あんな仕事は大したもんじゃない、と貶《おとし》めることもなくなる。私たちは皆「神の道具」として登録されているのこぎりにねじ回しの役はできない。誰もが他人にはできない仕事を果たしている。

『産經新聞』コラム「透明な歳月の光」2015年3月4日

何事も人のせいにせずに生きていれば幸せは訪れる

いい時も悪い時も、亜季子《あきこ》はあまり物音を立てずに行動するのが好きであった。すべてのことの結果を自分一人でしっかりと引き受け、決して人のせいにせず、ひっそりと生きていれば、そのうちに自分らしい安定した地点が見つけられる。自分を知る人は自分しかなく、行動を決められるのも自分しかないはずであった。

『燃えさかる薪』

自分の得意なものを見つける簡単な方法

人と比べることをやめると、ずいぶん自由になる。限りなく自然に伸び伸びと自分を育てることができるようになる。つまり自分の得手とするものが見つかるのである。

自分が楽しいことも楽に見つけられるようになる。日曜日に料理をすることが、男としてみっともない、などと思わなくなる。みっともない、と思う感情は観客がいることをみみっちく意識している証拠である。自分で味をつけたものが、実は自分の舌に一番合うことは当然のことで、自分こそ、自分に対して最高の料理人なのである。

『ただ一人の個性を創るために』

他人のために損ができるか

「『美』という字から大介《だいすけ》は何を想像する？」

祖父《じい》ちゃんは聞きました。

「僕は美男じゃないな、ってこと」

「顔はどうでもよろしい」

祖父ちゃんは言いました。

「顔は、しっかりした生活をしていると、そのうちに感じのいい顔に変わって来る。祖父ちゃんくらい長く生きると、その例をたくさん見るようになる」

「そうかな」

「美は生き方というのと同じだ。何をこの世で選ぶか、どう生きるか、ということだ。近頃の人は、真と善はいくらでも叫ぶ機会があるけど、美についてはほとんど考えない」

「どうしてだろう」

「美は、実は流行《ファッション》じゃないからさ。流行に乗った表現なんてその人の生き方とは言えない」

「生き方ってそんなに特異なものじゃないだろう。普通の庶民はさあ、他の人と同じように学校出て、就職して、結婚して、家庭を持って、ということをしてるんじゃないか」

「それだけだと思うからいかんのだ」

「そう？」

「自分はもちろん、家族も大切なものだよ。しかし人間は、時には家族を捨てても筋を通して生きたい時があるかもしれない。美はそれほど孤独な選択だ。誰も助けてくれない。誰もホメてくれない。誰も金銭的保証をしてくれない。つまり俗に言うと損なことをできることだ」

「へぇ」

「溺《おぼ》れている人を見ると、安全を考えずに救助に飛び込んで死ぬ人がいる。他人が川や池に落ちたら、助けを呼ぶだけで指をくわえて見てりゃ、その人は死なずに済んでいるんだ。しかし僕は命を賭けてすることを、大変高く評価する。ああ、その人の人生は成功だったな、彼は人間を失わずに済んだ、と思う。僕が人を助けようとして溺れ死んだ息子の父親だったら、息子を失ったことは悲しいけれど、どこか心の奥底で、息子は百パーセント人間らしい人間だったと誇りに思う」

「むずかしいね。命を捨てて、何かをするってことは……」

「そうだ。恐ろしくむずかしいことだ。したくないことだ。しかしもしかすると、しなければならないことだ。それが美だ。言葉を換えて言えば、美とは、欲得や計算を離れて行動できる人間の証だ」

『非常識家族』

自分から仕事をとった時に何が残るか

本来、人間はただ、人間であるだけで、総理大臣も、サラリーマンも、商店主も、芸術家も、すべて、仮の姿に過ぎない。どんな役者も体がマヒすればもう舞台には立てない。視力を失えばタクシーの運転手さんはその日からできないのである。

役者でなければ、大学教授でなければ、自分ではない、と思っているような人は、その職を失ったが最後、その人の人格と尊厳まで崩壊することになる。しかし若い時から、そのからくりに気づいていさえすれば、どんな新しい職業についても（それによって社会に役立ち、家族を支えている限り）胸を張ることができる。

「……である前に、まず人間である」などという言葉は、中年になると、いささか恥ずかしくて、口にできにくくなるが、これを忘れると足許《あしもと》が揺らいで来る。今年一年間に、たとえどんな変化があってもその人はその人である。

『永遠の前の一瞬』

会社は深く愛さないほうがいい

会社や組織は深く愛さないほうがいい。愛し始めると、人はものが見えなくなります。執着して悪女の深情けになる。私の実感では、愛しすぎると、余計な人事に口を出したり、辞めた後も影響力を持ちたがったり、人に迷惑をかけるようなことをしがちです。

会社を愛していないと、こんなはずじゃなかったと思うこともありません。リストラされても、絶望しないでしょう。嫌な組織にしがみつくこともない。そもそも、あらゆる瞬間に、今の生き方以外に「逃げ道」だか「退路」だかを考えておかないというほうが、私は間違っているような気がします。

贅沢を言わなければ、逃げ道はたくさんあります。今の生活のレベルを保持しようと思うから、ほかにないのです。基本は、素朴な衣食住を確保する、それだけ。暮らせる条件は、どうにか死なないことだと自分にも言い聞かせ、日頃から妻にも子供たちにも吹き込んでおくことです。

子供は、造反するかもしれない。その時は親を恨むかもしれませんが、そこで子供は学び、育つこともある。私だったら、誰かに魂を売らずに生きていかれることほどすばらしいことはない、と子供に言うだろうと思います。

『日本財団9年半の日々』

老いてからでも間に合う成功への道

「積極的に決心してくれて、僕は嬉しいな。若い時にしかこういう場所では働けないもんだから」

「もう若くはないんですけど」

「それなら、最後のチャンスでしょう。どんなことでもいいんだ。心に深く残るような生き方をすればいいんだ。そうすれば、あなたの生涯は決して失敗じゃない」

『極北の光』

ほんのちょっとのお手伝いができたら人生は大成功

すべての人は誰もが人生で「ほんのちょっとのお手伝い」をして死んで行けたら大成功なのだ。大統領や総理大臣の業績にしても「ほんのちょっとのお手伝い」の範囲である。その点、父母は「ほんのちょっと」とは言えない偉大な影響を子供たちに残す。

もちろんすべてのことはほんのちょっとだが、できなかったよりできただけ、どれほどよかったかしれない、と私は手放しで喜ぶことにもしていた。見知らぬ母と子のために、階段でベビーカーを持ち上げるのを手伝ってやることだって、「ほんのちょっとのお手伝い」にしては大きな幸福を相手に与える。

『魂の自由人』

報復すると人生が台無しになる

ここ数日奥さんが、風邪引いてたのはほんとうです。ずっと姿が見えなかったもの。この人、最近はもう一切努めるのをやめてしまった。だからすばらしい人になったわよ。もうほとんど人間離れしていて、まるで猫みたい。

自分が風邪を引くと旦那さんのことも何もしてやらない。旦那さんも文句言う人じゃないから、その点は平気なのよね。でもおかしいのは、旦那さんは旦那さんで、駅でお弁当買ってくる時、自分が食べたいものを一個だけ買ってくるんですって。奥さんの分は買ってこないの。

猫だったらそんなこと平気ですけどね。人間はそういう時ひどく辛いものらしいのね。でも奥さんはもう傷つかないことにしたんですって。自分は自分で食べたいものを買いに行って、ご主人という人はいないものと思えばいい。

ここの旦那さん、って人おかしいのよ。めったに病気しないの。まるで自分が病気すると、妻に報復されるのを恐れて頑張っているみたい。

でもそんなことないんですよ。原口《はらぐち》の奥さんは旦那さんが病気になったら、ちゃんとお粥も煮れば、熱いお茶も入れますよ。それは日本の妻はそうすべきだからでもなく、自分が優しいからでもないんですって。夫と同じような幼稚な人間になったら、せっかく生きたこの人生を失敗することになると思うからなんですって。心憎いことを言うじゃありませんか。

『飼猫ボタ子の生活と意見』

妻に対して、あるいは夫に対して、この人と結婚してよかったと思わせることは、多分「ささやかな大事業」である。私は社会的に大きな仕事をしながら、妻には憎まれて生涯を終えた人を少なからず知っているから、なおのことそう思うのかもしれない。たった一人の生涯の伴侶さえ幸福にできなくて、政治も事業もお笑い草だと私は思っている。

『至福の境地』

「流される」ことも一つの美学

正直に言って、今日、家庭の主婦でいながら社会と結びつこうとすることは、実にむずかしいことである。毎日の生活は大切なことなのだが、何か当たり前の仕事みたいになってしまう。それを偉業だと言ってくれる人もなければ、経済的に特に評価してくれるのでもない。自分の行為を信じるには、私の場合、多少とも神がかりになることで……つまり、神がそのようにすることを命じているのだと思うほかはない。

神という言葉をきいただけで、胸がワルクなるという人にはおすすめできないが、この何者かの眼によって背後から支えられるか、命じられるかされていると感じることほど、私にとって気が楽なことはない。

私が小さいときから祈ってきた聖イグナシオの祈りに、

「我が知恵、我が記憶、また我が意志をことごとく受け入れたまえ。それらはすべて主の賜《たまもの》なり」

という一節があった。

えらくいい子になったように見えるので、この精神を別の言葉に翻訳すれば、

「わては何も悪《わ》るうないでえ。こうなったんは××のせいやァ」

ということである。私は大きな方向は自分で（決めたいと願い）、小さな部分では流される（ことは致し方がないと思う）ことにしている。いや、その逆かもしれぬ。人間に決められるのは晩のご飯のお菜くらいなもので、お菜だって、マーケットへ買いに行ったら、予定して行ったものがなかったということはざらなのだ。大きな運命にいたっては、人間は何ひとつ、自分で決めた訳ではない。私たちが、二十世紀の終わりに、日本人として、それぞれの家庭に生まれ合わせたこと、どれひとつとってみても私の意志ではなかった。私たちはその運命を謙虚に受けるほかはない。

自然に流されること。それが私の美意識なのである。なぜなら、人間は死ぬ以上、流されることが自然なのだ。けちな抵抗をするより、堂々とそして黙々と周囲の人間や、時勢に流されなければならない。

同じ家庭内の仕事だけに留まっているにしても、そう思えば本当は孤独でなどありよ

うはないのだ。なぜならその人は、そのように生きることを神から命じられているからだ。そしてその人の行為は、誰からもホメられなくとも、それは単独に、そのことじたい、立派に完結して輝いている。自分の行為を、他の人によって評価されねば安心できない人は、そこでいつもじたばたすることになるのだ。自分が満足できることをしていたら、わかってもらえなくてもいい、と考えられないだろうか。

『誰のために愛するか』

昔も今も、私は性こりもなく、たくさんのことを願って来た。しかしいつの間にか自動的に、それはもし神が望まれないことなら叶わないだろう、ということを承認するようになった。いやそういう言い方さえ正しくない。私がその結果を承認しようがしなかろうが、不可能なものはできないのである。

しかし、或ることの結果をただ不服とするか、そこに、神の意志をよみとるかどうかは、大きな違いである。私は昔から諦めのいい子だと言われたが、望ましからざる結果を、ただ諦めていても別にいいことはない。むしろその中に、その結果こそよかったのだ、望みが叶えられなかったことこそ神の深い配慮だと、わかることが必要なのである。

『心に迫るパウロの言葉』

信仰を持つと「失敗した人生」というものがなくなる

もし信仰がなければ、画家として大成したかしないかは、大きな違いになるだろう。小村《こむら》が本当に自分の才能に執着し、日本画壇の重鎮になり、芸術院会員になったり、文化勲章をもらったり、宮城《きゅうじょう》の新宮殿の大広間の絵を描いたりするようになるのと、草深い田舎の小さな町に埋もれて、一生、病気の妻の介抱をして暮らすのとは、雲泥の差に見える。前者は成功した人生であり、後者は失敗した人生である。

しかしキリスト教的解釈はそうではない。小村が現実に支えたのは、妻であった。しかし、それは決してただの自分の女房だったのではないのである。

「はっきり言っておく。わたしの弟子だという理由で、この小さな者の一人に、冷

たい水一杯でも飲ませてくれる人は、必ずその報いを受ける。」(「マタイによる福音書」10章42節)

「はっきり言っておく。わたしの兄弟であるこの最も小さい者の一人にしたのは、わたしにしてくれたことなのである。」(同・25章40節)

小村にとって総ては明瞭であったろう、と私は思う。絵を描くことも、大きな夢ではあったが、その前に、自分の家には、病める妻の姿をかりた神があった。もちろん、小村といえども、自分の不運を歎《なげ》いたこともあれば、さぼりたいと思ったこともあるだろう。しかし自分の助けがなければ、精神的に生きて行かれないに等しい妻を生かすということは、絵を描くこととは比べものにならないほど、重い光栄を持つ任務であった。なぜなら神が、自ら、「それは自分にしてくれることなのだよ」と言っているからなのである。(中略)

おもしろいことに、信仰を持つようになると、失敗した人生というものがなくなるのである。それは何をしても失敗しないということではない。或る人間の生き方が、常に神の存在と結ばれて考えられていれば、かりにいささかの挫折はあっても、どのような人生にも意味を見出すことができる。その代わりありきたりのこの世の光は光でなくなり、この世の影にも、眩《まばゆ》いばかりの光がさしこむ。何がこの世の光栄かということに対する価値はひそかに逆転する。これはいかなる政治家、心理学者、劇作家にもなし得ない逆転劇であり、解放である。

『私を変えた聖書の言葉』

第七章 老年ほど勇気を必要とする時はない

老いと死がなければ、人間は謙虚になれない

「政治がよくなれば、生活に苦しみがなくなる」などということが幻想に過ぎないことは、誰にも襲ってくる老いと死があることを考えただけでも理解できる。

何もしないのに、人間は徐々に体の諸機能を奪われ病気に苦しむことが多くなり、知的であった人もその能力を失い、美しい人は醜くなり、判断力は狂い、若い世代に厄介者と思われるようになる。

昔の人々は老いと死を人間の罪の結果と考えたが、それもまたまちがいなのであった。何ら悪いことをしなくても、それどころか、徳の高い人も同じようにこの理不尽な現実に直面した。

老いと死は理不尽そのものなのである。しかし現世に理不尽である部分が残されていなければ、人間は決して謙虚にもならないし、哲学的になることもない。

『三秒の感謝』

誰でも人生の終盤は負け戦

人間は五十から先の生き方が大切だとしみじみ思い始めました。それはその時期をすぎると、人間は一日一日弱り、病気がちになるという、絶対の運命を持っているからです。それは負け戦《いくさ》にも似ておりますね。どのような人も例外なく揃《そろ》ってこの負け戦にくみこまれねばなりません。癒《なお》りにくくなる病気、機能の退化、親しい者との死別、社会で不要な存在と思われる運命も待っていると思わねばなりません。このような状況に耐えられなくなるからでしょう、老人の自殺も実に多いのだそうです。

神父さま、このような時期に私たちはどう思って生きたらいいのでしょう。長く生きることが決してしあわせではないのだ、と思いそうになりますが、私はいつもすぐに、望んでも長く生きられなかった方々の手前、そのような身勝手は許されない、という気になります。ただ唯一《ゆいいつ》のおもしろさは、負け戦と決まっているものなら、ちょっと気楽という点です。まずく行っても、まあまあ当たり前、万が一、幸運とまわりの方たちのおかげで、晩年がおもしろく、さわやかに、悲しみにも愛にも自制にも満ち満ちているものになり得たら、これは本当に人生最後の芸術を創り上げることになりますから。

『別れの日まで』

肉体の衰えは老年の贈り物である

老年はすべて私たち人間の浅はかな予定を裏切る。時間ができたら、ゆっくり本を読もうとすれば、視力に支障が出る人も多い。老年になって山歩きをしたい人など、内臓が健康でも、膝に故障が出れば、それも叶わないだろう。

一番おかしいのは、ゆっくり趣味を楽しみたいと思う時に、定年退職した夫がいることが最大の予想違いだ、という人も多いことだ。夫が全く家事に無能で、自分でカップヌードルにお湯を注ぐこともできない人だから、と言う。一方で、「今ご主人のいる人はほんとうに大変だと思うわ。私は一人だから実に楽」とクラス会で言い切っているメリー・ウィドウもいるのだから、人生はとうてい計算できない。

ただ私は、老年に肉体が衰えることは、非常に大切な経過だと思っている。私の会った多くの人は、努力の結果でもあるが、社会でそれなりに自分が必要とされている地位を築いた人たちである。それらの人々の多くは、どちらかと言うと健康で明るい性格で、人生で日の差す場所ばかりを歩いて来た人だった。

しかしそんな人が、もし一度に、健康も、社会的地位も、名声も、収入も、尊敬も、行動の自由も、他人から受ける羨望《せんぼう》もすべて取り上げられてしまったらどうなるのだろう。そして一切行き先の見えない死というものの彼方《かなた》にただちに追いやられることになったら、その無念さは筆舌に尽くしがたいだろう。

しかし人間の一日には朝もあれば、必ず夜もある。その間に黄昏《たそがれ》のもの悲しい時間もある。かつては人ごとだと思っていた病気、お金の不自由、人がちやほやしてくれなくなる現実などを知らないで死んでしまえば、それは多分偏頗《へんぱ》な人生のまま終わることなのだ。

一人の人の生涯が成功だったかどうかということは、私の場合、あらゆることを体験して死ねるかどうかということと同義語に近い。もっとも、異常な死は体験したくない。しかし尋常な最期はそれを受け入れるべきだろう。

愛されることもすばらしいが、失恋も大切だ。お金がたくさんあることも、けちをしなければならないという必然性も、共に人間的なことである。子供には頼られることも嫌われることも、共に感情の貴重な体験だ。

人間の心身は段階的に死ぬのである。だから人の死は、突然襲うものではなく、五十代くらいから徐々に始まる、穏やかな変化の過程の結果である。

客観的な体力の衰え、機能の減少には、もっと積極的な利益も伴う。多分人間は自然に、もうこれ以上生きている方が辛い、生きていなくてもいい、もう充分生きた、と思うようになるのだろう。これ以上に人間的な「納得」というものはない。だから老年の衰えは、一つの「贈り物」の要素を持つのである。

『誰にも死ぬという任務がある』

老いてこそ「分相応」に暮らす醍醐味がわかる

「分相応」を知るということは、生きて来た者の知恵の一つである。逆の言い方をすると、すべてしたいことをして生きて来た人など、一人もいないのだということを体験的に知るのである。若い時には、社会の上層部にいる人は、どんな栄耀栄華《えいようえいが》をほしいままにしているのかと思う。偉い人たちはしたいことだけして、いやなことはしなくていいのだろう、とさえ誤解する。

しかし晩年が近づくにつれて、私たちは誰でも利口になる。私は議員にも大臣にもなったことはないが、今では偉い人ほど好きなことができないことを知っている。衆人環視の中で、あの議場に詰め込まれてずっと坐っていたり、大臣になってどこへ行くにも制約を受けることが、どれほどうっとうしいか、今ではよくわかるようになった。

私たちは自分のお金で好きな時に好きな所に行ける。嫌な人に会わねばならない時もあるが、たいていの時は会いたい人にだけ会っていられる。多くの場合心にもないことを口にしないで済む。非人間的なほどの忙しさに苦しまない。それもこれもすべて自分の小さな力の範囲で「分相応」に暮らす意味を知ったからである。

その釣り合いがとれた生活ができれば、晩年は必ず精巧に輝くのである。

『晩年の美学を求めて』

「年相応」の生き方をするのが晩年の知恵

年を重ねるにつれて、自立の大切さを感じるようになったと述べましたが、一般的にはそれは経済上、肉体上の自立を意味します。しかし同時に、自立を可能にするものは自律の精神であるということもわかるようになりました。

老年は、中年、壮年とは違った生き方をしなくてはいけない。このことをはっきりと認識することが、自律のスタートです。

年をとると、自己過保護型になるか、自己過信型になるか、どちらかに傾きがちになります。別の言い方をすると、自分は労《ねぎら》ってもらって当然と思うか、自分はまだやれると思いすぎるかです。後者の例として、「私の体型は三十代と変わらないんですよ」などと自慢している老年がいます。若さを保ちたいという意欲はけっこうですが、体型は三十代と同じであっても、体内のほうは確実に変わっています。それを受け入れて、年相応の健康を目指すほうが自然じゃないでしょうか。

つまり壮年、中年時代は、目もよく見え、耳もよく聞こえ、免疫力も高かったかもしれませんが、そうではなくなった今の自分に合う生き方を創出する。それが晩年の知恵だと思うのです。

『老いの才覚』

「人生には何が起きても不思議ではない」と思えるか

非常に単純な言い方をすれば、年をとって人間ができるようになることは、見栄を張らないようになることである。

人は誰にでも、危機というものがある。お金がなくて困った。もう離婚しようかと思った。子供と心中を考えた。さまざまな危機的状況が人間の生涯には必ず訪れる。若い時には、それを隠したくなるものだ。自分だけが、そのような屈辱的な、悲惨な状況を過ごしているのだから、人にはとうてい恥ずかしくて言えない、と思うのである。しかし次第に「人生には何でもありだ」ということがわかって来る。

隠す、とか、見栄を張らねばならない、という感情はまず第一に未熟なものだ。或る年になれば、隠しても必ず真実は表れるものだ、という現実を知るのが普通である。もし人が本当に自分の真実を隠したいのだったら、人のいない森に一人で引きこもる以外にない。通常の生活をしていれば、その人がどんな暮らしをしているか、何を考えているかは大体のところ筒抜けになる。だから隠しても仕方がないのだ。

第二に、見栄を張る人は、人生というところは、何があっても不思議はない場所だ、という事実を自覚していない。用心すれば、自動車事故は起さなくて済む、というのも一面の真実だが、どんなに用心していても、相手の自動車がこちらに向かって飛び込んで来たり、自分の車がスリップしたりすることを止めようがない場合もある。だから私たちは年をとるに従って心のどこかで覚悟をしているのだ。何ごとも自分の身の上に起こり得る、ということを承認しよう、と。だから自分は常にいい状態にいる、とか、自分はいい人だ、とかいうことを改めて言わなくてもいい、という気分になるのである。

『晩年の美学を求めて』

昨日できたことが今日できなくとも、静かに受け入れる

料理をすることはできたら続けた方がいいけれど、花の水など、嫌になったら替えなくていい、と私は自分に言い聞かせた。段階的にまず水の重みを減らすために、花瓶を小さくすることだ。それから花そのものを活けるのを止める。鉢植えも止める。水の要らない小さなサボテンでもよければ、それでしばらくやってみて、それさえも世話が難しくなったら止める。

別に大変なことではない。ただそういう日が必ず来るのだ、と早めに自分に言い聞かせておくことが必要だ。

しかしこれはいささか強がりであって、花の水を替えられなくなる日のことを思うと、私はずいぶん悲しいだろうと思う瞬間もあるのだ。今までのところは、萎《しお》れた花を平気でおいておくことに、私は耐えられない。洗濯をしないとか、要らないものを片付けないことと同様、枯れた花を放置することは人間の根本の姿勢が狂って来たような気がす

るのである。しかしどんなに花や木の世話が好きでも、いつまでもその幸せが続くと思うのは、虫がよすぎる。子供だって成長して親の手許を離れて行くのである。

人間が高齢になって死ぬのは、多分あらゆる関係を絶つということなのである。もちろん一度に絶つのではない。分を知って、少しずつ無理がない程度に、狭《せば》め、軽くして行く。身辺整理もその一つだろう。使ってもらえるものは一刻も早く人に上げ、自分が生きるのに基本的に必要なものだけを残す。

人とは別れて行き、植物ともサヨナラをする。それが老年の生き方だ。そうは言っても、まだ窓から木々の緑は眺められ、テレビで花も眺められる。

人とも物とも無理なく別れられるかどうかが知恵の証であろう。会うより別れる方がはるかに難しい（私の知人で、三回結婚して三回別れた男性もそう言っていた）。種類を減らし、鉢の数を減らし、鉢を小さくし、水やりと植え替えがあまり要らないものにする。人とも花とも、いい離婚は経験豊かな人にしかできない。

『緑の指』

人間の一生は苦しい孤独な戦いである

人間がどんなに一人ずつか、ということを、若いうちは誰も考えないものである。身のまわりには活気のある仲間がいっぱいいる。死ぬ人よりも、生まれる話の方が多い。しかし、どんな仲のよい友人であろうと、長年つれそった夫婦であろうと、死ぬ時は一人なのである。このことを思うと、私は慄然《りつぜん》とする。人間は一人で生まれて来て、一人で死ぬ。

生の基本は一人である。それ故にこそ、他人に与え、係わるという行為が、比類ない香気を持つように思われる。しかし原則としては、あくまで生きることは一人である。それを思うと、よく生き、よく暮らし、みごとに死ぬためには、限りなく、自分らしくあらねばならない。それには他人の生き方を、同時に大切に認めなければならない。その苦しい孤独な戦いの一生が、生涯、というものなのである。

『あとは野となれ』

「私一人にとっては大きな悲しみだけど、他の人は知っちゃいないことなのよ。だから私は苦しいけど、他の人は苦しくないんだから、騒ぎたてるのは悪いような気がしてた」

「辛い時は騒いだ方がいいと思うな」

雪子《ゆきこ》は笑った。

「私ね、人間は、病気でも死でも別離でも、一人で耐えるほかはない、ってこと、知ってたの」

『天上の青』

孤独と絶望を経験しないと人間として完成しない

若いうちは、複雑な老年を生きる才覚がありません。しかし、多くの人は、年をとって体の自由が利かなくなったり、美しい容貌の人が醜くなったり、社会的地位を失ったりしていく中で、その人なりに成長します。

つまり少年期、青年期は体の発育期、壮年と老年は精神の完成期であり、とりわけ老年期の比重は大変重い。

私は、孤独と絶望こそ、人生の最後に充分味わうべき境地なのだと思う時があります。この二つの究極の感情を体験しない人は、たぶん人間として完成しない。孤独と絶望は、勇気ある老人に対して「最後にもう一段階、立派な人間になって来いよ」と言われるに等しい、神の贈り物なのだと思います。


『老いの才覚』

老年ほど勇気を必要とする時はない

中年から老年にかけて人間はさまざまのものを失って行くが、そこに実はほんとうの人間としての闘いがあるのではないだろうか、と私はこの頃考えるようになった。老化と病気とは、どこで切り離したらいいか私にはわからないが、うまく年をとっている人はそれほど多くない。老年というものほど勇気のいる時代はない。しかもその勇気も外に向かって闘争的に働きかけるものではなく、自分の中に沈潜《ちんせん》する勇気である。

『心に迫るパウロの言葉』

死を考えることは前向きな姿勢

死は願わしいことではありませんが、必ずやって来ます。願わしくないことを超えるには、それから目を逸らしていては解決できません。死は確固としてその人の未来ですから、死を考えるということは前向きな姿勢なのです。

走れなくなったり、噛めなくなったりすることも、死ぬべき運命に向かっているのだということを、ちゃんと自覚したほうがいい。自分がそうなる前から、そうなった時のことを考えるのが、人間と動物を分ける根本的な能力の差であることを思えば、私はやはり前々から、老いにも死にも、馴れ親しむほうがいいように思います。

私はカトリックの学校で育ったので、幼稚園の頃から、毎日、自分の臨終の時のために祈る癖をつけられ、「灰の水曜日」と呼ばれる祝日には司祭の手で額に灰を塗られて、塵《ちり》に還る人間の生涯を考えるように言われました。もちろん、当時の私が死をまともに理解していたとは思われません。しかし、いつか人間には終わりがある、ということを、私は感じていました。

シスターたちが、「この生涯はほんの短い旅にすぎません」と言うのも度々聞いたことがあります。百年生きたとしても、地球が始まってからのことを思えば、大したことがない、と。そういう教育を受けたことは、この上ない贅沢だったと思っています。

『老いの才覚』

死は生き方を教えてくれる

死はむしろ生き方を教えてくれるものなのである。死ぬ予感がないから、人の心は彷徨《こう》する。他人の境遇を羨んだり、名誉や地位に執着したりする。昼日中から、芸能人の離婚話やスキャンダルを種に、ああでもない、こうでもない、と揣摩憶測《しまおくそく》するようなむだなテレビ番組などを見ていられるのも、死を意識していないからである。

死を近く思うと、人は時間を自分のためにだけ使うようになるだろう。人の噂に係わることは、所詮は人に時間をやってしまうことなのである。私が人より少し時間を有効に使って来たとしたら、それは、死の観念がいつも遠くからだが、私を追い立てていたからだろうと思う。

『悲しくて明るい場所』

私たちは死を認識しているからこそ限りある時間の生を濃縮して生き尽くそうとするし、また死があるからこそ人間のできうることの限界を知り、今持っているもののはかなさというものを知ることができるのです。そのときに初めて、われわれは現世を過不足なく判断することができると思うのです。

『現代に生きる聖書』

誰もが死に際に点検する二つのこと

何歳で死のうと、人間は死の前に、二つのことを点検しているように思われてならない。一つは自分がどれだけ深く人を愛し愛されたかということ。もう一つは、どれだけおもしろい体験をできたか、である。それが人並み以上に豊かであれば納得して、死にやすくなる。

『晩年の美学を求めて』

死を前にした時だけ人間は、何が大切で何がそうでないかがわかる。

『三秒の感謝』

満ち足りて死ぬための準備

自分がすばらしいことに出会ったという事実を、常に「心に留め」ておけば、死ぬ時も思い残しがない。つまり死に易くなる。そして、自分の生涯を納得し、満ち足りて死ねるように準備するということは、この世で出世する以上の大事業なのである。

『心に迫るパウロの言葉』

私は今でも一つの町を去る時、もう生きて再びここには来ないだろう、と必ず思っている。しかし私は振り返ることはしない。見返る姿がさまになるのは、美人だけなのだ。その代わり、私はいつも、「ここも見た」「あそこも見た」「ありがとうございました」と心の中で呟《つぶや》いている。「見た」ものは決して景色だけではない。どの町でも、私は、悲しみも、諦めも、歪《ゆが》んだ人生そのものも「見た」。だからもうこれでいい、という気持ちなのである。

人間が何かを尽くして死ぬことはできない、という一種の制度は何とよくできたものだろう。それでこそ、人間は心も軽く死ぬことができるのだ。

『至福の境地』

すべてのものに分際がある

でも、知ってますか？　チータという動物は生まれた時から、ずっと泣いてるんです。嘘じゃない。チータの顔には、眼から黒い「涙の跡」と呼ばれるラインが、その毛皮に残されている。それが特徴なんです。

チータの眼は優しい。悲しみさえ湛えている。獰猛《どうもう》な豹《ひょう》の視線とはまるっきり違う、と人は言う。

チータが単独で月光の中を歩いていた、っていうことね、それが運命だということを知っているようにでしたって。淋しくても淋しいとは言わない。それが分際を知る者の姿です。その肩に月光が冷やかに流れていた。アフリカはほんとうに正直な土地だって。

いいですね。チータは殺す時も殺される時も泣き続けるように、神さまから「涙の跡」をもらっちゃったのよ。でも、泣く時は声を立てずにお泣き、とも言われたんでしょうよ。

おばさんは、あのチータは、結核だったかもしれない、と想像してるんです。チータには結核も肝臓病も多いんだから。でも、同情することはないの。死ぬ日まで、チータもまた病気を抱えて生きればいい。しかもそれを悟られないようにしながら……そうでなければ、餌にも逃げられる。それも分際というものなんですよ。

もうすぐ、この家のアカシアの黄色い花も散りましょう。でも花の終わりを惜しまないで欲しいんです。それも分際というものなんですから。

『飼猫ボタ子の生活と意見』

いつも春のその頃、私は畑の整理をするのである。球根や根の枯れているのがあって、それらが畑の邪魔をしているので、探し出して捨てるのである。整理が必要なのは、引き出しや箪笥《たんす》だけではない。天然の原生林は、人の手をわざと入れないのだが、その場合は「自然が自然と」（これは少しおかしな表現だが）自分で整理をする。死んだ球根や根は腐って土にかえり生き残ったものの肥料になる。

しかし狭い畑ではそんな呑気《のんき》なことも言っていられない。ほっておけば、荒れ果てて見えるから、人為的に年老いたもの、古びたものを取り除く。そして若い球根を植え、新しい種を蒔き、幼い苗木を移植する。

そうした作業をしながら、私はしみじみと、この運命は草花だけではない、と思う。もちろん命あるものは、できるだけ生きようとする。周囲も助けようとするし、植物自身も工夫をこらして、少ない水や、熱い太陽に耐えようとする。しかしいつかは若い命に譲るという運命は避けようがないのだ。

人間も同じなのだ。この草木の生死の姿を見ていると、人間も同じでなければならない、と思う。人の死だけがどうして悲惨で悲しまねばならないことがあろう。殊《こと》に私たち日本人のように、充分に食べさせてもらい、教育を受け、社会と国家の保護を受け、世界的な長寿の恩恵を受けた後では、生を終えることを、少しも悼《いた》んではならない。

植物は無言だけれど、現世で生きる姿を、私はいつも植物から教えられて来たのである。

『緑の指』

晩年はいいことずくめ

よく人は、老年は先が短いのだから、という。その言葉は願わしくない状態を示すものとして使われるのだと思う。しかし私はそう感じたことがない。もう長く苦労しなくて済む。もう長くお金を溜めて置いて何かに備えなければならない、と思わなくて済む。もう長く痛みに耐えなくて済む。晩年はいいことずくめだ。晩年には、人生に風が吹き通るように身軽になる。晩年には人の世の枷《かせ》が取れて次第に光もさしてくる。

『晩年の美学を求めて』

人間にはすべてのことに終わりがある。そしてその終わりは少しも悲しむべきではない。闘い尽くした後の終焉《しゅうえん》はむしろ祝福の中にある。自然が、時が、実は神が「もういいよ。もうお休み」と祝福を与えてくれるのだ。その時人間は何一つ思い残すことなく、来世への旅立ちに向かう。

『神さま、それをお望みですか』

「ささやかな人生」に偉大な意味を見つけられるか

自分はどういう人間で、どういうふうに生きて、それにどういう意味があったのか。それを発見して死ぬのが、人生の目的のような気もします。

私も含めてほとんどの人は、「ささやかな人生」を生きる。その凡庸さの偉大な意味を見つけられるかどうか。それが人生を成功させられるかどうかの分かれ目なのだろう、と思います。

『老いの才覚』

富岡幸一郎氏の『聖書をひらく』（編書房《あむ》）という著書によって私は実に多くのことを

学んだのだが、その中に、ニューヨーク大学の中にある或るリハビリテーション研究所の壁に一人の患者の作った詩が書かれていて、それを人々は「病者の祈り」と呼んでいるのだという。

「大事をなそうとして
　力を与えてほしいと神に求めたのに
慎み深く従順であるようにと
　弱さを授かった
より偉大なことができるように
　健康を求めたのに
より良きことができるようにと
　病弱を与えられた
幸せになろうとして
　富を求めたのに
賢明であるようにと

貧困を授かった
世の人びとの賞賛を得ようとして
　権力を求めたのに
神の前にひざまずくようにと
　弱さを授かった
人生を享受しようと
　あらゆるものを求めたのに
あらゆることを喜べるようにと
　いのちを授かった
求めたものは
　ひとつとして与えられなかったが
願いはすべて聞きとどけられた
神のみこころに添わぬ者であるにも
　かかわらず

心の中の言い表せない祈りは
すべてかなえられた
私はあらゆる人の中で
最も豊かに祝福されたのだ」

作者は無名の一患者だという。(中略)

患者という言葉で括られる共通項は、希望の挫折である。そしてここには表立って登場しないが、多くの普通の老年が、寿命を全うして死ぬ場合も含まれる。自分はしたいように生きた、満足だ、と言い切れる人はごく稀であろう。普通は誰でも思いを残して死ぬものだ。諦めという技術を体得した人以外は……。

しかしそれにしても人生の意味の発見というものほど、私には楽しく、眩しく思われるものはない。その発見は義務教育でも有名大学でも、学ぶことを教えてもらえない。強いて言えば、読書、悲しみと感謝を知ること、利己的でないこと、すべてを楽しむこと、が、そこに到達することに役立つだろう。一患者は病まなければ、ここまでみごとな人間には高められなかった。しかしだからと言って、人間が病気になるのを放置する人も希望する人もいない。人間にとって願わしいのは、健康である。ただ神はそうした人間の選択に二重の「保険」をかけられた。人間は健康である方がいい。しかし仮に健康を失ってもなお、人間として燦然《さんぜん》と輝く道は残されているということだ。これは何という運命の、そしてその背後にいる神の優しさなのだろう。

『晩年の美学を求めて』

永遠の生命を得るために

「百代《ももよ》がまたできたらしいよ」

母は夕食の時、木下《きのした》に囁《ささや》いた。百代というのは同居している長兄の妻である。母の言葉には、あからさまな非難の響きこそなかったが、性懲りもなく子供をこしらえてきた長兄夫婦に対する、微《かす》かな皮肉のようなものが感じられないでもなかった。既に兄たちは九人の子持ちだった。

木下は、姉がほつれた髪をして、けだるそうに台所で立ち働いている姿を眺めた。霊魂は、永遠の生命を得るためには、一度は必ず、この世に生まれ出なければならず、そのために、地上の夫婦は、与えられる限りの力で一人でも多くの子供を生むべきだ、と木下は教えられて来たのである。この宇宙にはそのようにして、何万年、何十万年も、生まれる機会を与えられるべくして待機している霊魂が、月光の中の塵のように浮游しており、それは一つの荘厳な詩のような光景として木下の眼には見えている。男女の睦《むつ》み合いという、最も素朴で原始的な、むしろ滑稽ですらある行為が、そのような神の計画に参加すると考えると何ともおかしいのである。

『落葉の声〈宇宙に浮游する〉』

子供がいなくとも、生きた証は後世に残せる

死刑囚の最期に立ち会う教誨師《きようかいし》によれば、死刑執行の当日になってじたばたするのは、子供のない人だという。後に心を残して死なねばならぬ子持ちこそ、本当は死にたくないといって騒がねばならないのだろうが、それが逆になるのは、子供のない人は自分が

死ねば後に何もなくなる、と思うからなのである。

子供を産めばいいというものではない。子供がなくても人間として与えて生きた人は、すでに彼が生きてきた証を、後世に伝えたという自覚を持てる。最後の日にその人はなすべきことをした安らぎのうちに死ねるのである。

『人びとの中の私』

死んで芽を出す道

聖書に、「一粒の麦は、地に落ちて死ななければ、一粒のままである。だが、死ねば、多くの実を結ぶ」という言葉があります。

麦の一粒は、そのまま取っておかれる限り、芽を吹くこともなく、新しい実を結ぶこともない。しかし、それが蒔かれ、まるで墓に葬られるように土の中に埋められて、その原型を失うようになって初めて、新しい命である芽を吹く。つまり、麦の一粒の死が、やがて「多くの実を結ぶ」ことになるというのです。

私が知り合った神父や修道女たちは、それぞれの理由で修道院に入り、結婚もせず、子供も持たず、自分から望んで、世界のもっとも貧しい国の片田舎で一生を過ごしたりしました。

彼らは、その土地の子供たちに読み書きを教え、栄養失調児にご飯を食べさせ、小さな診療所で貧しい患者に薬を与え、赤ん坊が生まれるのを助ける、というような仕事をしています。住まいには電気もガスも水道もなく、バスタブにゆっくり浸かって疲れをとるなんていうこともない。タンクに貯めた水を、空き缶の底に錐《きり》でたくさん穴を開けたシャワー・ヘッド風のものに導いて、ぽしゃぽしゃ落ちる水で体を洗うだけ。アフリカでも夜に水で体を洗うのは、寒くてつらいものなんですよ。

それでも彼らは、たまに日本での休暇を過ごすと、いそいそとまた「地球の僻地《へきち》」へ帰って行く。それは、一粒のままを保って生きるのではなく、死んでも誰かに何かを残すことで、自分の存在が生き続けることを望むからです。

『思い通りにいかないから人生は面白い』

一粒のままがいいか、そこから芽が出るために死ぬのを選ぶか、人間はそこそこ生きているうちから決めねばならない。死んで芽を出す道は、実は簡単だ。人のために働くことなのである。

『誰にも死ぬという任務がある』

出典著作一覧

〈小説・フィクション〉

『狂王ヘロデ』集英社文庫
『時の止まった赤ん坊』海竜社
『飼猫ボタ子の生活と意見』河出書房新社
『神の汚れた手　上下』文春文庫
『アバノの再会』朝日文庫
『哀歌　上下』新潮文庫
『湖水誕生』中公文庫
『無名碑　上下』講談社文庫
『夢に殉ず』新潮文庫
『アレキサンドリア』文春文庫
『二月三十日』新潮文庫
『極北の光』新潮文庫
『陸影を見ず』文春文庫
『非常識家族』徳間文庫
『この悲しみの世に』講談社文庫

『天上の青　上下』新潮文庫
『観月観世』集英社文庫
『寂しさの極みの地』中公文庫
『燃えさかる薪』中公文庫
『ブリューゲルの家族』光文社文庫
『落葉の声』聖母文庫

〈エッセイ・ノンフィクション〉

『現代に生きる聖書』祥伝社黄金文庫
『思い通りにいかないから人生は面白い』三笠書房
『安心したがる人々』小学館
『哀しさ優しさ香しさ』海竜社
『幸せの才能』朝日文庫
『あとは野となれ』朝日文庫
『心に迫るパウロの言葉』新潮文庫
『緑の指』ＰＨＰ文庫
『ほんとうの話』新潮文庫
『老いの才覚』ベスト新書

『悲しくて明るい場所』光文社文庫
『それぞれの山頂物語』講談社文庫
『聖書の中の友情論』新潮文庫
『二十一世紀への手紙』集英社文庫
『国家の徳』産経新聞出版
『想定外の老年』ワック
『神さま、それをお望みですか』文春文庫
『日本財団9年半の日々』徳間書店
『酔狂に生きる』河出書房新社
『自分の顔、相手の顔』講談社文庫
『揺れる大地に立って』扶桑社
『誰のために愛するか』祥伝社
『生活のただ中の神』海竜社
『自分の財産』扶桑社新書
『ただ一人の個性を創るために』PHP文庫
『人びとの中の私』海竜社
『人間関係』新潮新書
『曽野綾子の人生相談』いきいき出版局

『アラブの格言』新潮新書
『人間にとって成熟とは何か』幻冬舎新書
『風通しのいい生き方』新潮新書
『絶望からの出発』PHP研究所
『人生の原則』河出書房新社
『魂の自由人』光文社文庫
『中年以後』光文社文庫
『人生の収穫』河出書房新社
『生きる姿勢』河出書房新社
『愛に気づく生き方』三浦朱門氏との共著、青春新書PLAY BOOKS
『私を変えた聖書の言葉』海竜社
『正義は胡乱』小学館
『愛と許しを知る人びと』新潮文庫
『辛口・幸福論』（まえがき）新講社
『永遠の前の一瞬』新潮文庫
『完本　戒老録』祥伝社黄金文庫
『地球の片隅の物語』PHP研究所
『近ごろ好きな言葉』新潮文庫

『至福の境地』講談社文庫
『三秒の感謝』海竜社
『別れの日まで』尻枝正行氏との共著、新潮文庫
『誰にも死ぬという任務がある』徳間文庫
『晩年の美学を求めて』朝日文庫
『産經新聞』コラム「透明な歳月の光」2013年8月7日
『産經新聞』コラム「透明な歳月の光」2012年10月24日
『産經新聞』コラム「正論」2015年1月1日
『産經新聞』コラム「透明な歳月の光」2015年3月4日

※本書はこれらの出典から抜粋し、一部、加筆修正のうえ構成しました。
ご興味をもたれましたら原作をお読みいただけると幸いです。——編集部

著者略歴

曽野綾子《そのあやこ》

一九三一年東京都生まれ。作家。聖心女子大学卒。

一九七九年ローマ法王によりヴァチカン有功十字勲章を受章、

二〇〇三年に文化功労者、一九九五年から二〇〇五年まで日本財団会長を務めた。

一九七二年にNGO活動「海外邦人宣教者活動援助後援会」（通称JOMAS）を始め、

二〇一二年代表を退任。『老いの才覚』（KKベストセラーズ）、

『人間の愚かさについて』『風通しのいい生き方』（ともに新潮社）、

『人生の原則』『生きる姿勢』（ともに河出書房新社）など著書多数。

幻冬舎新書 383

人間の分際《ぶんざい》

二〇一五年七月三十日 第一刷発行
二〇一五年九月十五日 第八刷発行

著者 曽野綾子
発行人 見城 徹
編集人 志儀保博
発行所 株式会社 幻冬舎
〒一五一-〇〇五一 東京都渋谷区千駄ヶ谷四-九-七
電話 〇三-五四一一-六二一一(編集)
〇三-五四一一-六二二二(営業)
振替 〇〇一二〇-八-七六七六四三
ブックデザイン 鈴木成一デザイン室
印刷・製本所 中央精版印刷株式会社

検印廃止

Printed in Japan ISBN978-4-344-98384-7 C0295
そ-2-2

幻冬舎ホームページアドレス http://www.gentosha.co.jp/
*この本に関するご意見・ご感想をメールでお寄せいただく場合は、comment@gentosha.co.jp まで。